新 いわて名峰ガイド

岩手山

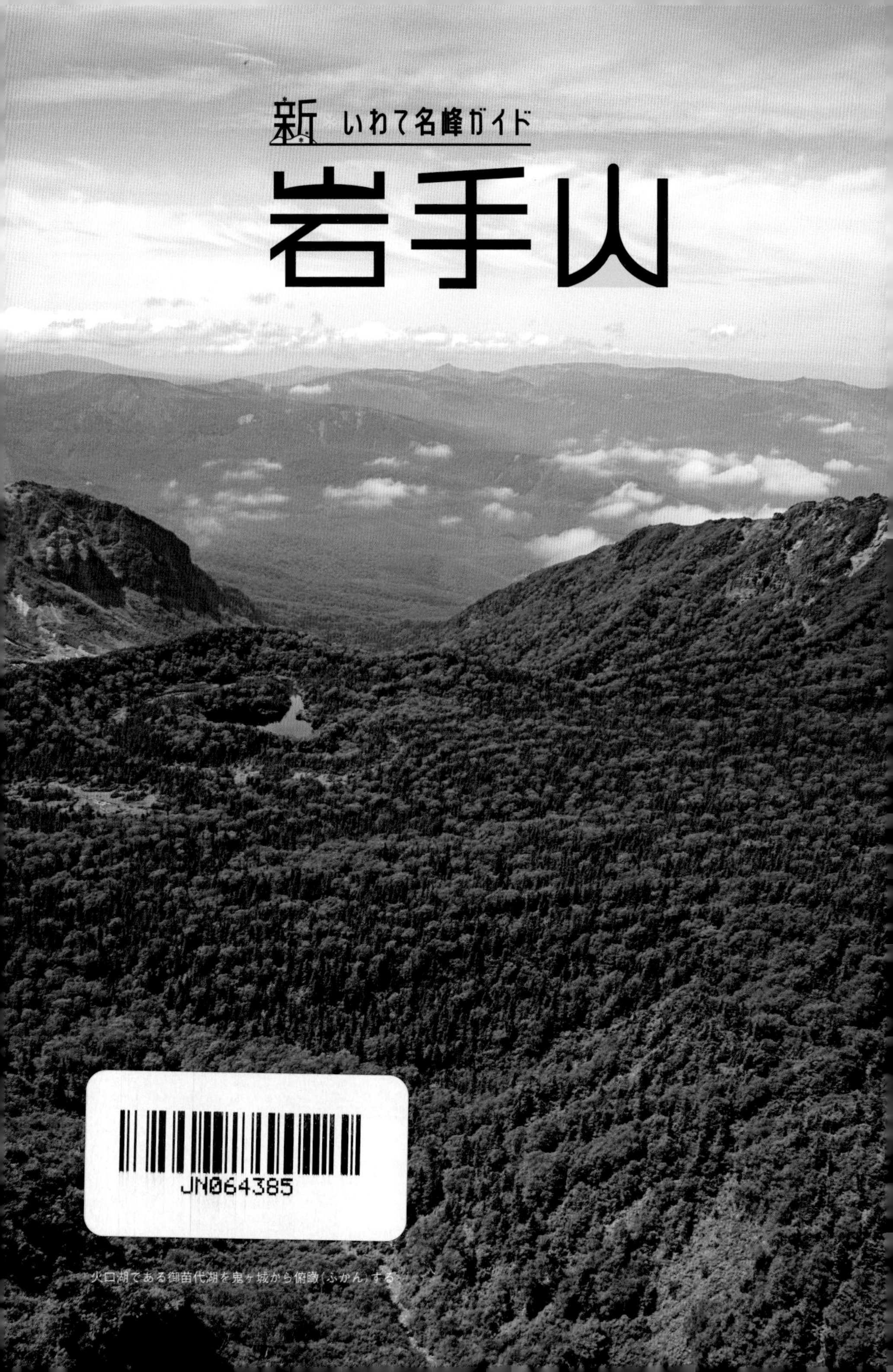

JN064385

火口湖である御苗代湖を鬼ヶ城から俯瞰（ふかん）する

紅葉の三ツ石山付近から望む岩手山。夏山とは違う、穏やかな表情を見せる

岩手山
秋はふもとの三方の
野に満つる蟲を何と聴くらむ
（石川啄木「一握の砂」より）

そらの散乱反射《さんらんはんしゃ》のなかに
古ぼけて黒くえぐるもの
ひかりの微塵系列《みじんけいれつ》の底に
きたなくしろく澱《よど》むもの
（宮沢賢治の詩「岩手山」より）

まだ雪を抱いた5月初旬の岩手山。麓の緑とのコントラストが美しい（マリオス展望室より望む）

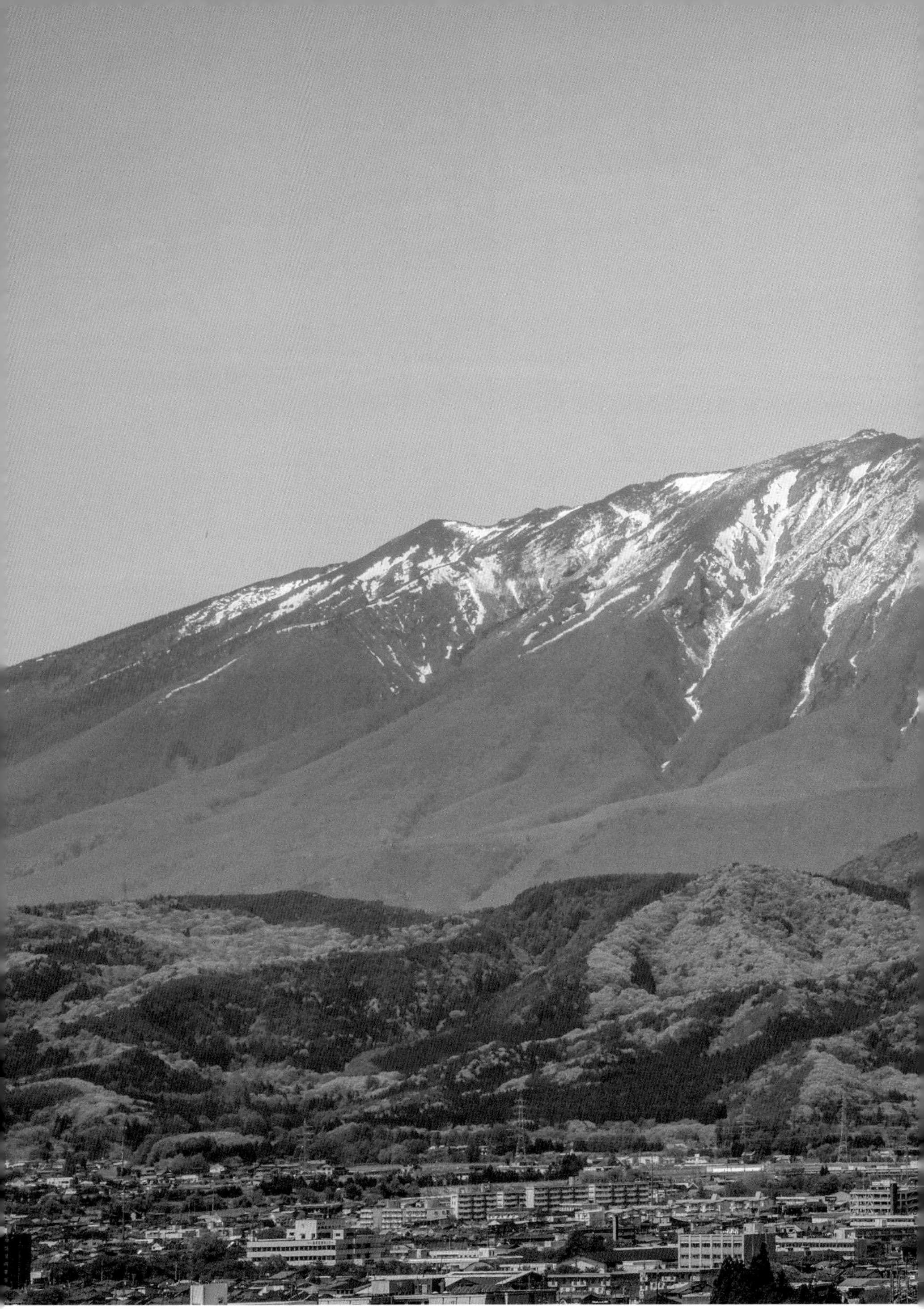

あの山を見て下さい
好きな人がくると
私はきまって言いたくなる

あれこそ蜃気楼の見える奥羽の砂漠
笑気のたつ奥羽の湿地原
魂を氷らせてやまぬ奥羽の大雪原

もっと高台へのぼって見て下さい
私は幾度でも言いたくなる
眠っている奥羽のダイノザウルスを
火を持ち始めた奥羽のピテカントロプスを

あれから何が始まるか
あれがどんな重力を行使し始めるか
今のうちですよく見ておいて下さい

（村上昭夫の詩集『動物哀歌』収録の詩「岩手山」より）

網張コースの犬倉山山頂周辺から望む山頂の薬師岳と北面の屏風尾根。コースによって印象ががらりと変わるのも岩手山の特徴だ

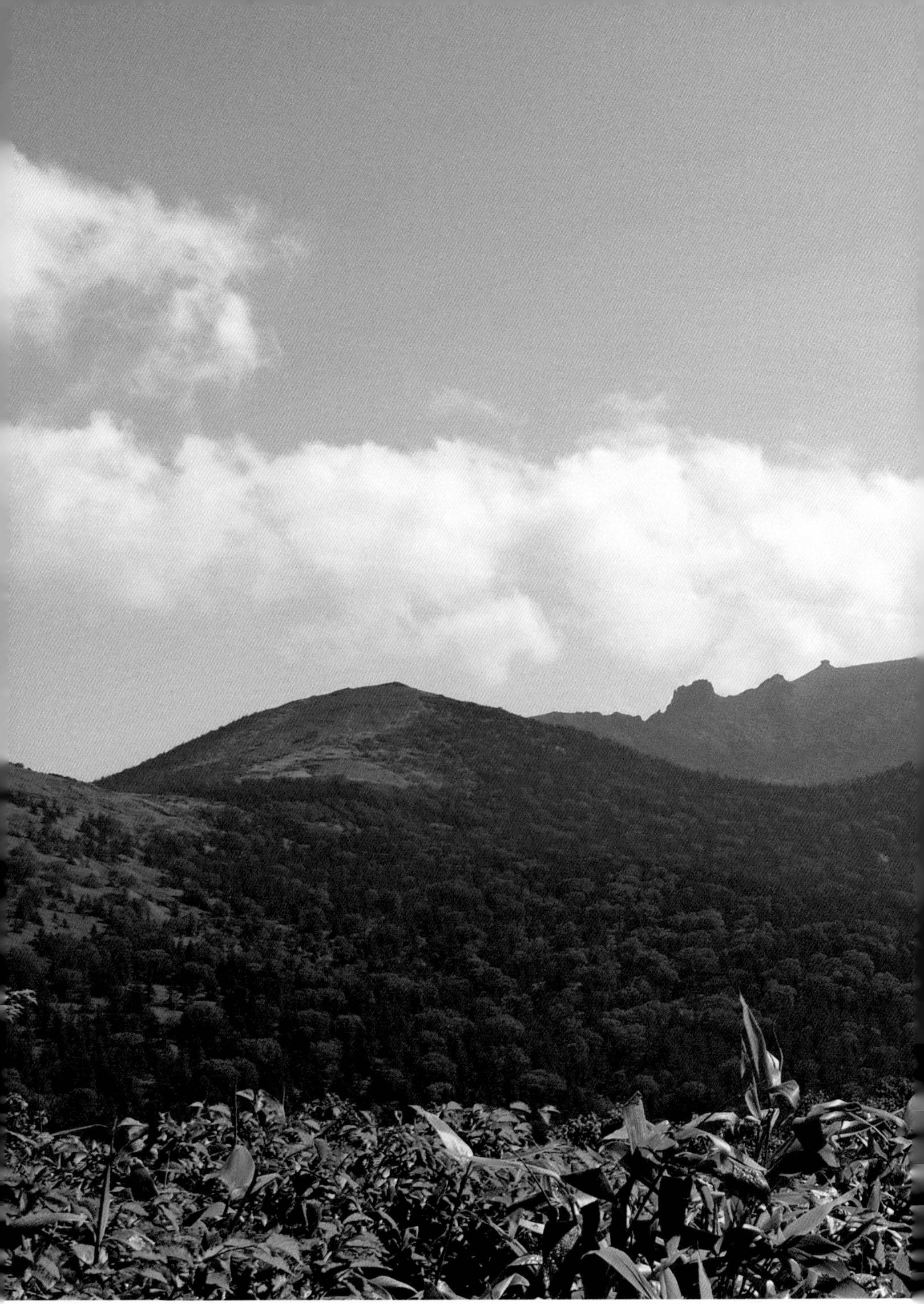

それぞれ違った特徴を持つ７つのコースは登山者を魅了してやまない

岩手山 DATA

■標　　高：2038メートル
■成層火山・常時観測火山
■奥羽山脈・岩手県最高峰
日本百名山／新日本百名山／東北百名山／一等三角点百名山
■主な登山コース
柳沢（馬返し）コース／焼走り･上坊コース／御神坂コース／網張コース／七滝コース／松川コース

八幡平市、滝沢市、雫石町にまたがる岩手県最高峰。なだらかな稜線を描く東岩手山と、荒々しい岩稜の西岩手山からなり、別名「岩手富士」「南部片富士」「岩鷲（がんじゅ）山」などと呼ばれている。1956（昭和31年）に十和田八幡平国立公園に指定され、山頂には一等三角点『岩手山』（重点整備点）が設置されている。

70万年前から幾度となく噴火を繰り返し、1732年の噴火では、約150haにも及ぶ「焼走り溶岩流」（国の特別天然記念物）を形成。1998年～2003年にかけて火山性微動が数多く観測されるなど、火山活動は現在も続いている。

Mt. Iwate

新＊いわて名峰ガイド

岩手山

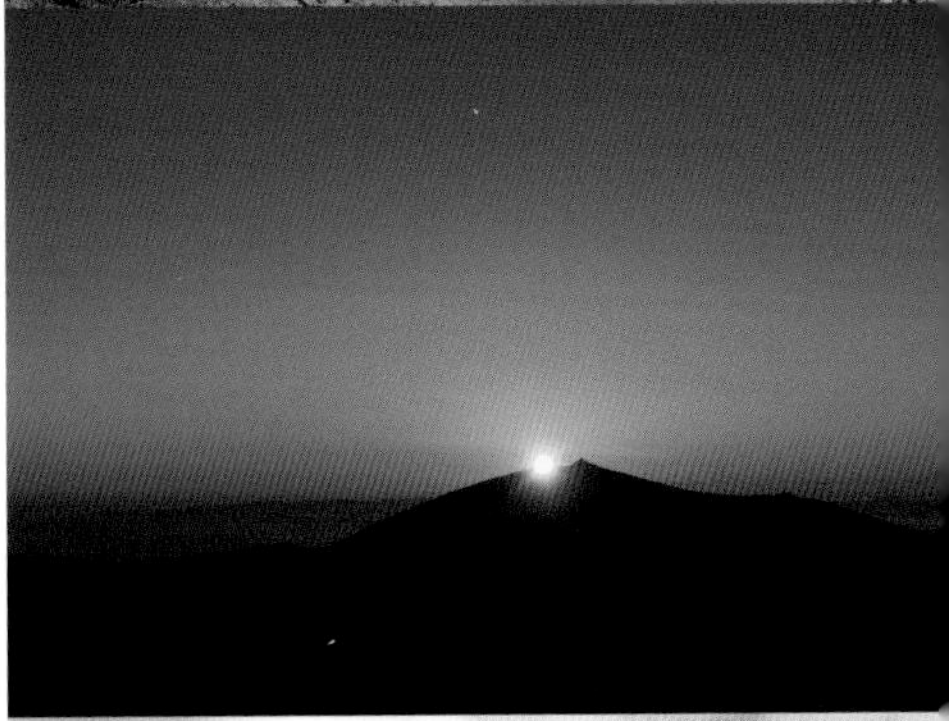

＊本書について

■本書の地図は国土地理院電子地形図25000（岩手山周辺）をもとに編集・掲載しています。

■各コース及びコースマップの時間は休憩時間をのぞいた参考時間です。登山初心者が無理なく歩ける時間を想定しています。天候などで大幅に所要時間が変わることがあります。

■コースマップ上に付記したポイントは目安です。

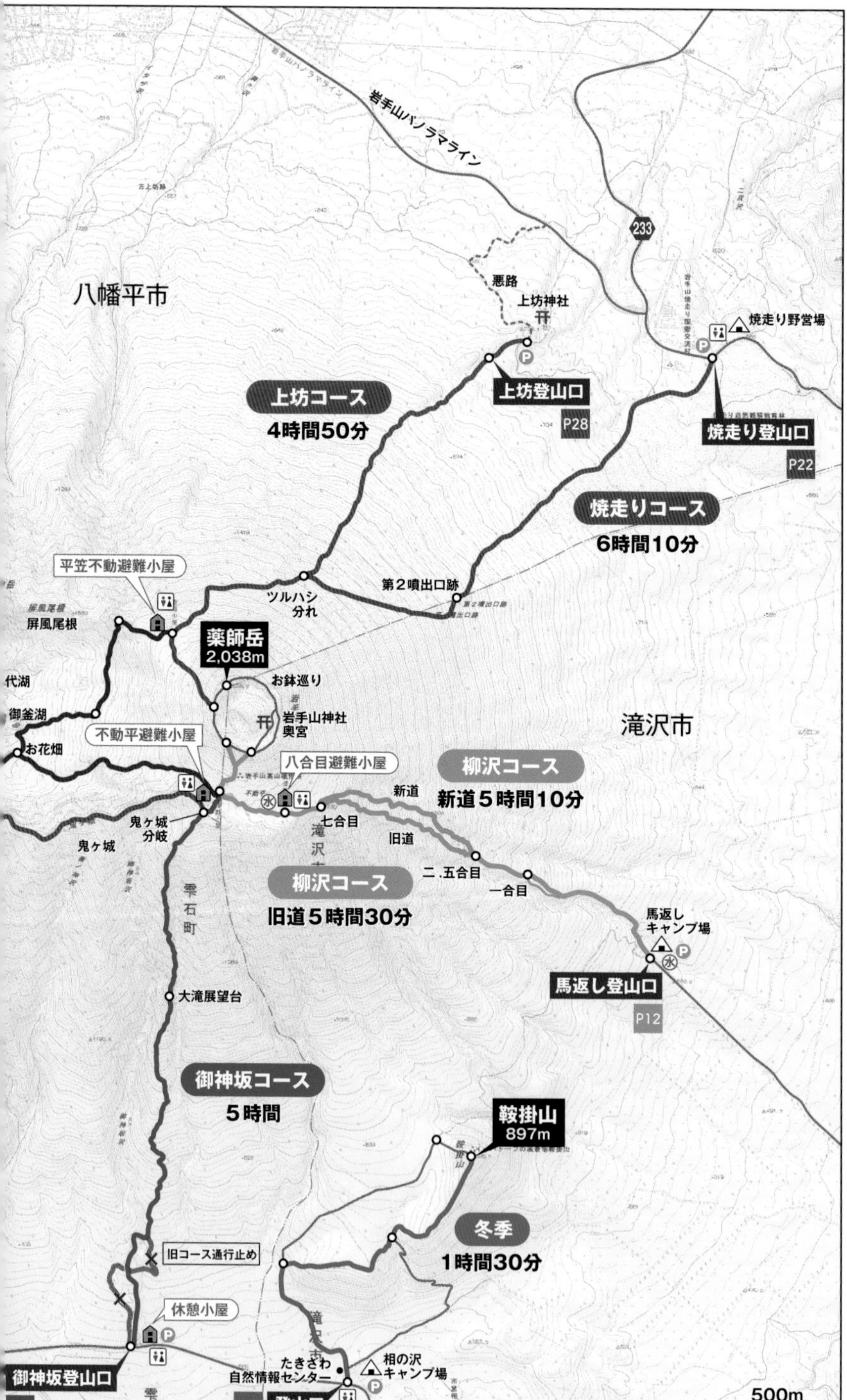
岩手山パノラマライン
233
八幡平市
悪路
上坊神社
焼走り野営場
上坊コース
4時間50分
上坊登山口
P28
焼走り登山口
P22
焼走りコース
6時間10分
平笠不動避難小屋
第２噴出口跡
ツルハシ
分れ
屏風尾根
薬師岳
2,038m
お鉢巡り
代湖
御釜湖
岩手山神社
奥宮
滝沢市
不動平避難小屋
お花畑
八合目避難小屋
柳沢コース
新道５時間10分
新道
鬼ヶ城
分岐
七合目
鬼ヶ城
旧道
二.五合目
一合目
柳沢コース
旧道５時間30分
雫石町
馬返し
キャンプ場
馬返し登山口
P12
大滝展望台
御神坂コース
5時間
鞍掛山
897m
冬季
1時間30分
旧コース通行止め
休憩小屋
たきざわ
自然情報センター
相の沢
キャンプ場
御神坂登山口
P32
P64
登山口
雫石町
500m

岩手山コースマップ

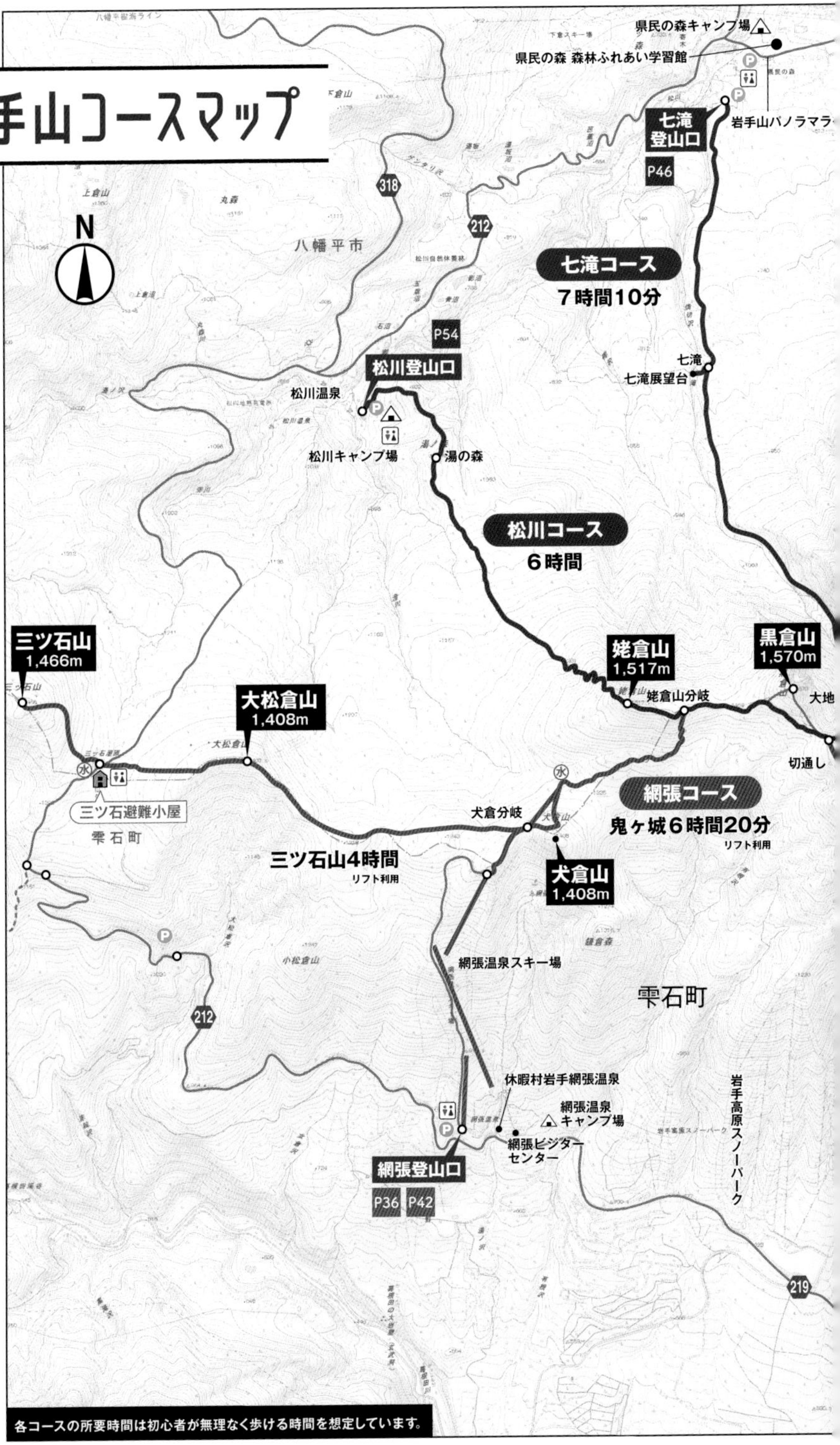

各コースの所要時間は初心者が無理なく歩ける時間を想定しています。

柳沢《やなぎさわ》（馬返《うまがえ》し）コース

初心者から上級者まで楽しめる
岩手山のメインコース

馬返し登山口—お鉢▼
登り▼新道5時間10分
旧道5時間30分
下り▼3時間30分

登山口の名称から通称「馬返しコース」と呼ばれ、岩手山登山の「正面口」として最も親しまれているコースだ。広い駐車場を備え、馬返しキャンプ場を併設している。

山頂まで初心者だと5時間以上を要する。駐車場でしっかり身支度を整えてから出発しよう。キャンプ場内を通りながら登り坂を歩く。冷たくておいしい「鬼又清水《おにまたしみず》」が湧き出しており、出発前の給水にもおすすめだ。案内表示に従って登山道へ。この先は各合ごとに設置された標柱を頼

登山口付近からも岩手山の迫力を感じることができる

馬返しキャンプ場内の鬼又清水でしっかり給水しておく

りに登山道を進む。

　一合目までは傾斜はさほどきつくなく、整備されて歩きやすい土の道や木の階段となっている。やがて岩や砂礫《されき》の道となり、二合目付近で展望が開ける。

木漏れ日の中、一合目までの登山道を進む

登山道は、二・五合目で新道と旧道とに道が分かれる。旧道は火山岩のザレ場が多く滑りやすい。落石などの危険性もあり、初心者は新道を選びたい。途中、双方を行き来できる連絡路があるので旧道から新道に戻ることも可能だ。

新道は七合目で旧道と合流するまでは樹林帯を進む。それなりの斜度があり、段差の大きい箇所がいくつかある。時に立ち木を支えにしたり、岩を両手でつかむなど全身を使って登ると安全かつ、疲れにくい。また、急坂は呼吸が乱れやすくなるので、適度に休憩をとりながら進みたい。

旧道は周囲の展望が開け、素晴らしい眺望が得られるが、その半面、滑りやすいザレ場を歩くことになる。足場が悪く体力、技術を必要とするため、初心者は特に注意したい。登りは滑りやすい斜面に足をとられて体力を消耗しやすく、下りは転倒や落石のリスクがある。登りにせよ、下りにせよ、不安を感じたら新道を選ぶこと。焦らずにゆっくり歩くことが安全につながる。

二・五合目の分岐。左が旧道、右が新道へと続く

新道の子守り岩

新道六合目の展望地から、旧道「御蔵岩」と鞍掛山を望む

薬師岳へ向かう途中、八合目を見下ろす

七合目から山頂を仰ぐ

旧道では白い目印を見失わないように進む

薬師岳へと続く砂礫の道

七合目を過ぎ、避難小屋が建つ八合目へ向かう

八合目避難小屋の後ろにそびえる薬師岳

七合目に到達すると、だいぶなだらかな道となる。岩手山の山頂が見え、振り返ればかなりの高度感を得られるだろう。そのまま登山道を進んでいくと「岩手山八合目避難小屋」に到着する。トイレが利用できるほか、御成清水《おなりしみず》の冷水がここまでの疲れを癒やしてくれる。ただし、渇水期には利用できないこともあるので、事前に滝沢市のWEBサイトで確認しておこう。避難小屋前にはベンチもあり、しっかり休憩がとれる。

八合目避難小屋から九合目の不動平《ふどうたい》へ続く道もなだらかだ。不動平は鬼ヶ城《おにがじょう》コース、お花畑コース、御神坂《おみさか》コースの合流点になっている。石造りの外壁が特徴的な不動平避難小屋ではトイレが利用できる。

不動平から山頂にかけては火山岩の砂礫《されき》となり、非常に歩きにくい。ここを登り切ると火口壁の縁を一周できる「お鉢」に到着する。右に進むと岩手山神社奥宮《おくみや》を経由して、左に進むと最短経路で岩手山山頂にたどりつく。岩手山最高標高点のある薬師岳《やくしだけ》山頂からは360度の展望が得られ、登頂の達成感を存分に味わうことができる。なお、お鉢は風を遮るものがなく、砂礫が飛んでくるので強風時には特に注意したい。

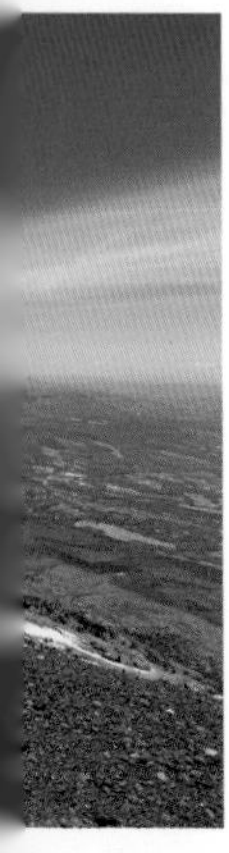

お鉢は一周約１時間かかる。ゆとりを持った登山計画を立てて巡ろう

八合目避難小屋前にある御成清水

不動平も休憩ポイントとして活用しよう

山頂から裏岩手縦走路の連なりを見下

お鉢からの御来光と幻想的な雲海に心洗われる

山小屋情報

八合目避難小屋の情報は、岩手県山岳・スポーツクライミング協会でも発信しているので公式サイトを確認してみよう。

八合目避難小屋

柳沢コース沿いの八合目にある避難小屋。夏季は管理人が常駐しており収容人数も多い。ここでしか買えないアイテムも販売している。

- ●収容人数 約100人
  （5人以上で宿泊する場合問い合わせ必要）
- ●トイレあり
- ●無料開放
- ●通年利用可

▶問い合わせ 滝沢市役所 経済産業部 観光物産課
TEL.019-656-6534

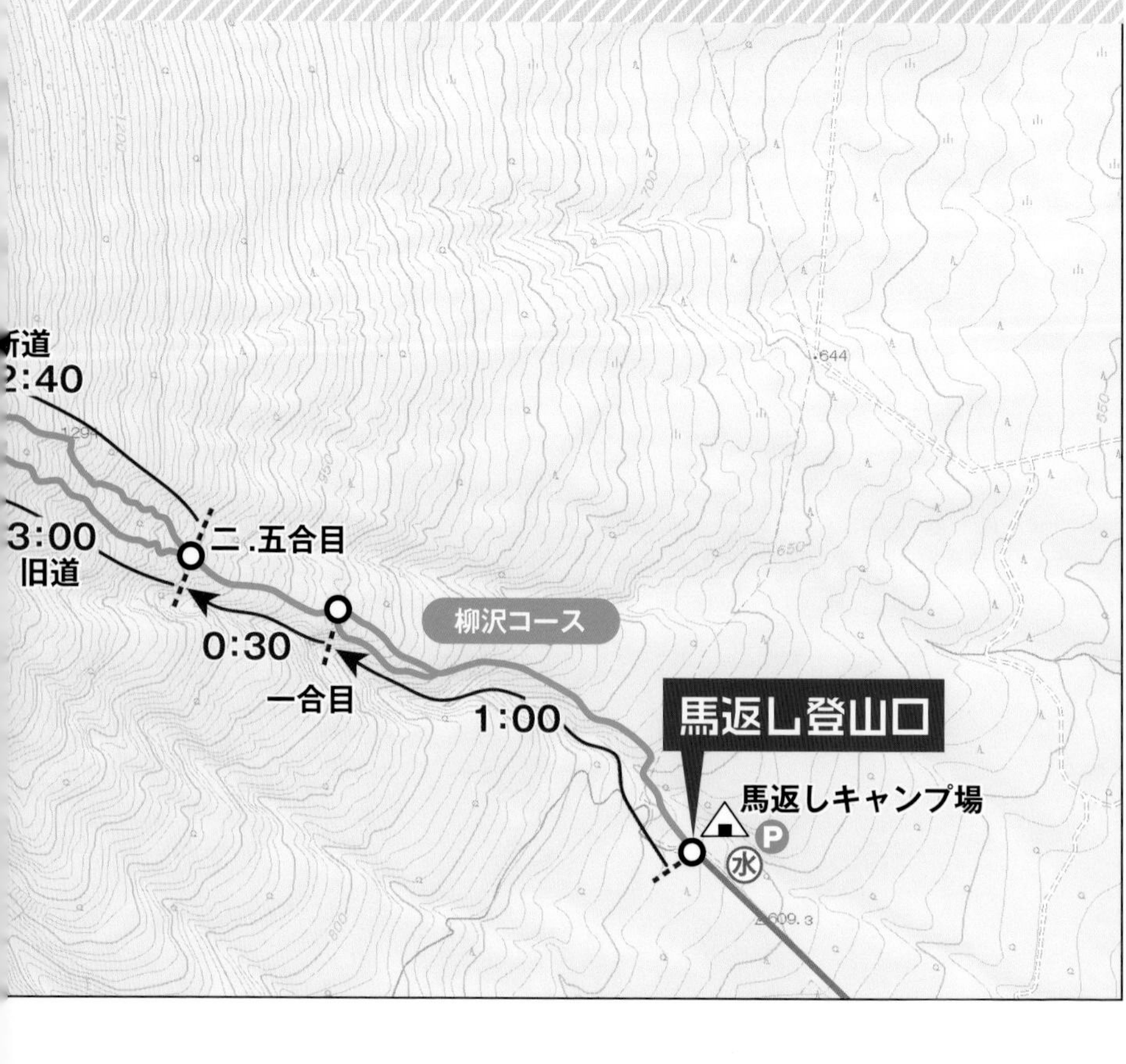

山小屋情報

不動平避難小屋（九合目避難小屋）

柳沢コース、御神坂コース、網張・松川・七滝コースからの合流点となる九合目の避難小屋。

- 収容人数 約15人
- トイレあり
- 無料開放
- 通年利用可

▶問い合わせ　滝沢市役所 経済産業部 観光物産課
TEL.019-656-6534

＊コースマップ

焼走《やけはし》り・上坊《うわぼう》コース

「火山」岩手山を実感できる北東ルート

焼走りコース▼
焼走り登山口—お鉢
〔登り▼6時間10分
下り▼4時間00分〕

上坊コース▼
上坊登山口—お鉢
〔登り▼4時間50分
下り▼3時間20分〕

焼走りコース

宮沢賢治が「畏《おそ》るべくかなしむべき砕塊熔岩《ブロックレーバ》の黒」と表現し、岩手山の代名詞とも言える国の特別天然記念物・焼《やけ》走《はし》り溶岩流。岩手山がまぎれもなく火山だということを体感できるコースだ。

焼走り国際交流村近くに広い駐車場を備えた登山口がある。この場所は、焼走り

県道沿いに広い駐車場と登山口がある

約 300 年たった今でも荒涼とした光景が広がる焼走り溶岩流

登山口からしばらくは樹林帯の中を進む

溶岩流の観察路入り口にもなっているので、時間に余裕のある時に、ぜひ見学してみたい。

溶岩流と樹林帯の境目付近に登山道があり、木々の切れ間から溶岩流を見ながら緩やかに登っていく。2時間20分ほどで第2噴出口跡にたどり着き、さらに20分ほど

進むと第1噴出口跡に着く。この高さまで登ってくると、岩手山の裾に広がる溶岩流の規模の大きさに驚くことだろう。黒々と広がる景観はまさに圧巻だ。

　第1噴出口跡付近は、岩手山の山頂と同じく火山礫《れき》（スコリア）の道で、三歩進んで二歩下がるような印象の、歩きにくい道になっている。靴の中に火山礫が入り込むと不快なだけでなく、けがの原因にもなる。登山靴の履き口を覆うゲイターなどで対策をするといいだろう。慣れない人は歩きにくさに焦りを感じてしまうが、体力の消耗にもつながるので、焦らずに進みたい。コマクサが見られ

第2噴出口跡から扇状に広がる溶岩流を見下ろす

第１噴出口跡の先で見られるコマクサ群落

第２噴出口跡の展望地から岩手山山頂を仰ぐ

平笠不動からの急坂を登り終え、眼前に広がる大展望

るこの道には、花の季節になると多くの登山者が訪れる。

火山礫《れき》の道が終わり、樹林帯の道になると上坊《うわぼう》コースとの合流点である「ツルハシ分《わか》れ」に着く。時折歩きにくいザレた道があったり、進むにつれ少しずつ傾斜を増していくものの、平笠不動《ひらかさふどう》避難小屋に近づくにつれて木々の背丈が低くなり、岩手山山頂部が見え始める。低木が生い茂る道を進んで行くと、右手に大きな岩塊が見え、その下に建つ平笠不動避難小屋に着く。小屋ではトイレが利用でき、休憩にも最適な場所だが、水場はない。

平笠不動避難小屋からは岩手山最高峰の薬師岳に向けて、一気の登りとなる。小屋を背にすると正面に薬師岳の姿が大きく見える。登山道はザレた道とガレ場が連続しており、時に風が強いこともあるので注意が必要だ。

第1噴出口跡からの展望

第1噴出口跡を過ぎてからのザレた道は辛抱強く登りたい

上坊コースとの合流点のツルハシ分れ

落石に注意し、息を整えながら急坂を登って行く。

　急坂を登り切ると山頂部のお鉢に出る。左折して少し登ると岩手山山頂だ。天気に恵まれれば３６０度の素晴らしい大展望が待っている。

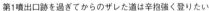

上坊コース

焼走り国際交流村から県道を北進し、岩手山パノラマラインの脇道を入ると上坊神社と上坊登山口とがある。火山的景観の焼走りコースのすぐ近くにありながら、樹林帯の対照的な登山道が特徴だ。

登山届（投函箱）の脇に登山道が続いている。カラマツやミズナラなどが生い茂る樹林帯には、歩きやすい土の道が整備されており、時折階段状の登りがある。合目《ごうめ》を示す石柱が歴史を感じさせる。

序盤は緩やかな道だが、徐々に斜度が増してきて、「ツルハシ分《わか》れ」までは緩むことなく、ひたすら登りとなる。見通しの利かない樹林帯の登山道ではあるが、圧迫感があるわけではなく、実に静かな雰囲気の中を歩けることが魅力的だ。

登山口から1900メートル地点の三・五合目（標柱の表示は三合五夕目）で、ようやく現在の標識が現れる。この先の木製階段を登り切ると、焼走りコースとの合流点である「ツルハシ分れ」に着く。右折して平笠不動を経由して山頂を目指す。

上坊登山口手前の駐車場へはここから入る。
悪路となるので最低地上高の低い自動車は厳しい

樹林帯の中、よく整備された道を進む

駐車場より登山口へ向かう道から岩手山頂を仰ぐ

三・五合目まで登ればツルハシ分れは近い

ツルハシ分れから先は緩やかな道と急坂とが入り交じる

平笠不動避難小屋を背に薬師岳へ向かう

山小屋情報

平笠不動避難小屋

平笠不動の分岐にある避難小屋。小屋の後ろには大きな露《ろ》岩《がん》がそびえている。

- 収容人数　約15人
- トイレあり
- 無料開放
- 通年利用可

▶問い合わせ　八幡平市 商工観光課
TEL.0195-74-2111

＊コースマップ

御神坂《おみさか》コース

急坂が続く岩手山南面のコース
ダイナミックな景観が楽しめる

御神坂登山口—お鉢▼
登り▼5時間00分
下り▼4時間00分

岩手山南面の尾根を登る御神坂《おみさか》コースは、信仰登山のころから利用されていた由緒あるコースだ。標高差約1200《メートル》の直登《ちょくとう》は、柳沢コース同様に距離に対しての標高差が大きく、きついコースといえる。

相の沢キャンプ場から網張方面に進むと御神坂登山口があり、駐車場、トイレが利用できる。駐車場には岩手山を詠んだ石川啄木の歌碑がある。（P3口絵）

登山道はカラマツ林の中に続いており、新たに整備された新コースから大滝展望台へ向かう。旧コースは通行止めとなっているので侵入しないこと。ここから大滝展望台まで周囲の景色は木々に遮られているが、初夏にはシラネアオイが登山道沿いを彩る。垂直分布は広く、かなり上まで花が見られる。

比較的なだらかな斜面を登っていくと「切接《きりはぎ》」の標柱がある。さらに進んでいくと、新しいわらじに履き

石川啄木の歌碑と岩手山

初夏の登山道にはシラネアオイが咲き誇る

高山ムード漂う鬼ヶ城分岐

岩手、秋田県境の山並みが美しく見える

笠締（かさじめ）付近は火山的景観が色濃い

替えたという「わらじ脱ぎ場」に到着する。ここを過ぎると、それまでに比べて傾斜が一気に増すので、わらじ脱ぎ場で休憩をとり、長く続く急坂に備えたい。

　わらじ脱ぎ場から約1キロ登っていくと、周囲の木々が徐々に背の低いものに変わっていき、展望が一気に開ける大滝展望台に出る。この展望台からは、秋田駒ヶ岳や真昼山地の山並みのほか、鳥海山の姿を見ることができる。

　さらに急坂は続き、ザレた斜面に出る。比較的登りやすい場所にジグザグに踏み跡があるので、それを頼りに登ると安全だ。この先から周囲は、より高山的なものに変わっていき、高山植物の数も増えてくる。花好きのハイカーが御神坂コースを登る目的のひとつであるユキワリコザクラは、

鬼ヶ城から弧を描くように山が連なる

初夏にこの周辺に見られる。景色は火山的なものに変わっていき、巨岩の脇に登山道が続く。ひときわ大きな岩の下にある「笠締《かさじめ》」の標柱を過ぎると、段差の大きい岩場に出るので両手足を使って登るようにしたい。岩だらけの道には徐々にハイマツが目立ち始め、左手に見える鬼ヶ城の岩壁がより近くなってくる。鬼ヶ城分岐を右に進み、滑りやすい赤土の斜面を下って不動平避難小屋の脇に出る。小屋ではトイレの利用が可能で、小屋の周囲には休憩用のベンチがある。ここで身支度をあらためて整え、岩手山最高峰薬師岳を目指す。（不動平より先は柳沢コースを参照）

両手両足を使って岩をよじ登る

御神坂コースを彩るユキワリコザクラ

＊コースマップ

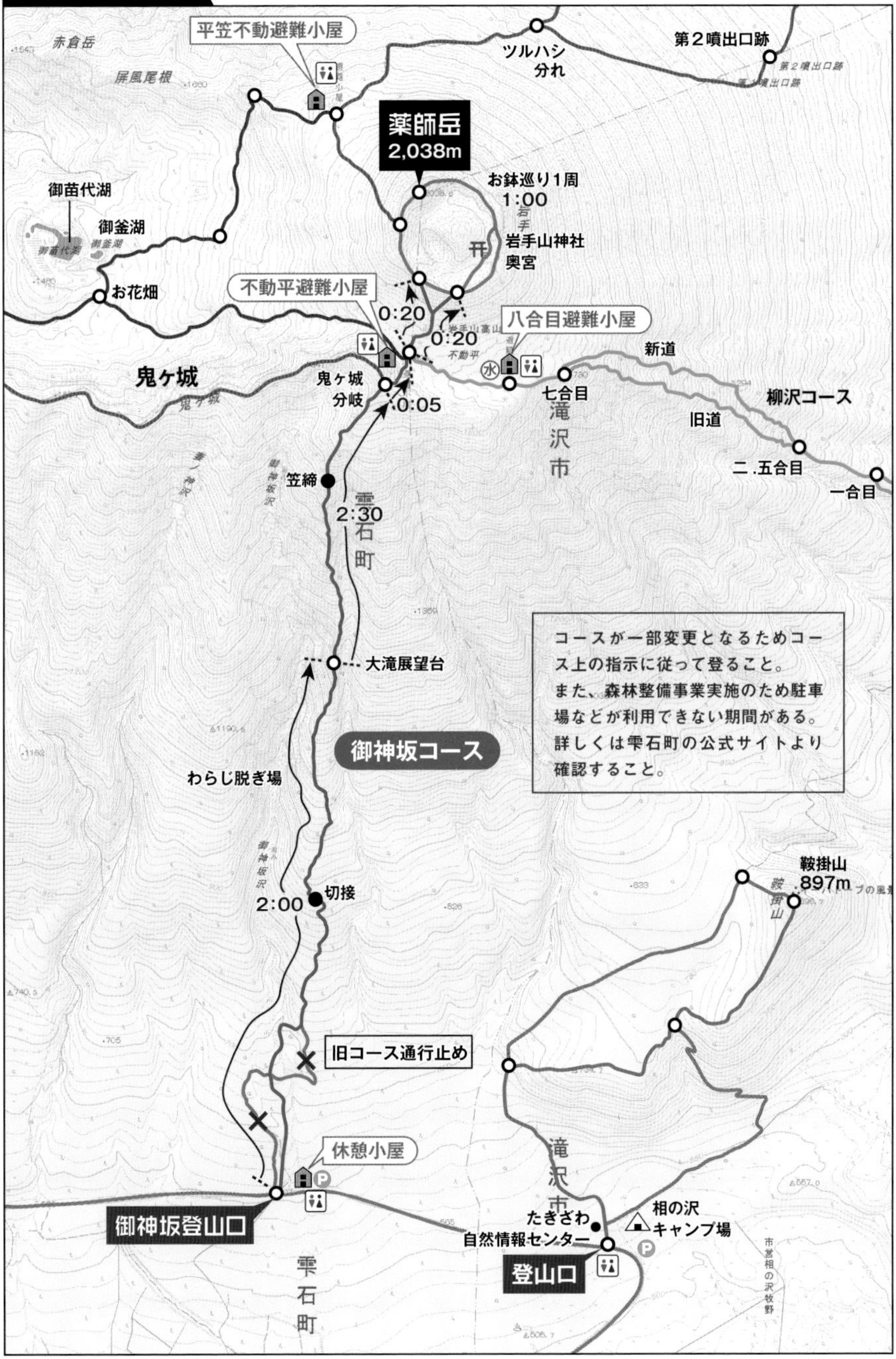
平笠不動避難小屋
赤倉岳
屏風尾根
ツルハシ
分れ
第２噴出口跡
薬師岳
2,038m
お鉢巡り1周
1:00
御苗代湖
御釜湖
岩手山神社
奥宮
お花畑
不動平避難小屋
0:20
八合目避難小屋
0:20
新道
鬼ヶ城
鬼ヶ城
分岐
0:05
七合目
滝沢市
柳沢コース
旧道
二.五合目
一合目
笠締
2:30
雫石町
大滝展望台
コースが一部変更となるためコース上の指示に従って登ること。
また、森林整備事業実施のため駐車場などが利用できない期間がある。
詳しくは雫石町の公式サイトより確認すること。
御神坂コース
わらじ脱ぎ場
鞍掛山
897m
切接
2:00
旧コース通行止め
休憩小屋
滝沢市
御神坂登山口
たきざわ
自然情報センター
相の沢
キャンプ場
登山口
雫石町

網張《あみはり》コース 鬼ヶ城・三ツ石山

リフトの空中散歩から
岩場の鬼ヶ城と紅葉の名所三ツ石山へ

網張リフト—鬼ヶ城—不動平避難小屋▼
登り▼6時間20分
下り▼5時間30分

網張リフト—三ツ石山▼
登り▼4時間00分
下り▼3時間40分

リフト3基を乗り継ぎ登山道へ向かう

リフト降り場を過ぎて階段状の道を登る

網張コースは、岩手山の山頂へ向かう登山道の中で、唯一乗り物を使って高度を稼ぐことができるコースだ。

網張温泉スキー場がその登山口となる。ゲレンデを登るとリフト降り場まで約1時間40分かかるが、リフト3基を乗り継げば所要時間約40分と大幅に時間短縮できる。リフトの運行時間は、季節と曜日によって異なるので事前に確認をしておきたい。また、往復券利用の場合、使用期限は購入当日限りとなるので注意すること。

松川コースとの合流点付近から。手前は黒倉山、奥に薬師岳を望む

3基目のリフト降り場から右に進むとすぐにリフトに戻る道との分岐があるので、ここは直進して犬倉山方面に進む。間違えないように気をつけたい。灌木《かんぼく》帯の中、北東へ進むと三ツ石山方面へ向かう登山道との分岐がある。また、犬倉山《いぬくらやま》(1408メートル)頂上部へ進む道と犬倉山北面を巻いていく道とがある。最終リフトの時間に余裕が持てるかどうかで進路を決めたい。北面を巻くほうが幾分早い。

犬倉山山頂部から下ってきた道との合流点を過ぎ樹林帯を越えると、前方に岩手山山頂の薬師岳とダイナミックな地形の鬼ヶ城、黒倉《くろくら》山《やま》(1570メートル)の姿が見えてくる。姥倉山《うばくらやま》(1517メートル)と黒倉山の鞍部《あんぶ》にある分岐点まで景色のよい道を登る。標高差50メートル弱の急坂を登り切ると分岐点となる。分岐点を右折し、薬師岳を目指して進む。黒倉山の南面を横切るように登山道が続いており、いったん下り基調になる。その後登り返すと切通《きりどお》しの標柱がある。ここは直進して鬼ヶ城へ進む。

鬼ヶ城を登り切ると、ザレた急斜面を下るので足を滑らせないように注意したい。傾斜が緩やかになった場所が御神坂コースとの合流点となっている鬼ヶ城分岐だ。分岐からは不動平を目指す。(鬼ヶ城はP40、不動平から先は柳沢コースを参照)

網張元湯を見下ろす展望台

黒倉山周辺は登山道を見失わないように注意したい

鬼ヶ城から見下ろす不動平と薬師岳への登山道

御神坂コースの合流点から下り、不動平避難小屋前を通過する

鬼ヶ城から岩手山山頂の薬師岳を望む

鬼ヶ城

岩手山の南面を構成し、ダイナミックで荒々しい地形が特徴的な鬼ヶ城。対峙《たいじ》する屏風《びょうぶ》尾根とともに火山的景観をつくり出し、南部片富士とも呼ばれる岩手山を全く別の姿に見せている。

切通しの分岐から御神坂コースとの合流点までが鬼ヶ城のルートだ。登山道はよく整備されていて、決して広くはないがヤセ尾根というほどでもない。途中に分岐はなく、大展望の稜線歩きが楽しめる。ただ、両脇が崖《がけ》になっており、風が強い日や視界不良の時は滑落の危険性がある。その際はお花畑を経由した方が格段に安全だ。

登山道は、小刻みにアップダウンを繰り返しながら徐々に高度を上げていく。鬼ヶ城のおおよそ中間地点に岩をよじ登る区間がある。岩にペンキで矢印が記されており、その矢印を頼りに岩に取り付く。手がかり、足がかりはしっかりしているので、見た目よりは安心して登ることができる。ただし、落石に注意して一人ずつ通過するのはもちろんのこと、下で待機する人、上で待機する人も落石に十分に注意を払いたい。両手両足が自由に使えるように、トレッキングポールは畳んで収納しておくことが賢明だ。この先にも矢印が記された岩の区間があり、同様に両手両足を駆使することになる。

徐々に道幅は広がっていき、周囲の山々を見下ろすように景色が変わっていく。登山道は、鬼ヶ城の最高地点までくると一転、急な下りとなる。滑りやすい斜面なので転倒に気をつけたい。平坦《へいたん》な場所まで下りると御神坂コースと合流する。不動平《ふどうたい》へ続く

急斜面を下ると、不動平避難小屋の脇へと出る。

鬼ヶ城の斜面には、高山植物が多い

ダイナミックな姿に圧倒されてしまうが、「鬼ヶ城」という名前の印象ほど険しい道ではない

両手両足を使い慎重に登る

鬼ヶ城で最も注意が必要な岩場

三《み》ツ《つ》石《いし》山《さん》

岩手山と八幡平は尾根続きでつながっており、八幡平樹海ライン近くの登山口と犬倉山を結ぶロングコースは裏岩手縦走路と呼ばれている。中でも三ツ石山（1466メートル）は、網張側からリフトが利用できることと、特に紅葉の美しさから高い人気を誇っている。

鬼ヶ城へのコースと同じく、網張温泉スキー場の夏山リフトを3基乗り継ぐ。3基目を降りて階段状の登山道を登っていくと、「網張温泉」を示す分岐点がある。ここで左折するとリフトに戻ってしまうので、右方向の「犬倉分岐」を目指す。視界良好の時は、岩手山の姿を目印にして、岩手山に向かって行くと思えばいい。

網張元湯を見下ろす展望台を過ぎると、三ツ石山と犬倉山（1408メートル）との分岐点に出る。ここでは、岩手山を背にするように左折する。緩い下り坂の道からは、源《げん》太《た》ヶ《が》岳《たけ》（1545メートル）や大深《おおふか》岳《だけ》（1541メートル）の姿が見える。

この分岐から一つ、二つとピークを越えると大松倉山（1408メートル）が見えてくる。連続するアップダウンと大松倉山の登りはいささかハードに感じる。左前方の秋田駒ヶ岳をはじめとする山の連なりや、時には振り返って岩手山の姿を眺め、息を整えながら登りたい。

大松倉山山頂の尾根道は南側の展望がよいが、強風時は風にあおられる危険があるので注意すること。

尾根道からは目指す三ツ石山が見え、烏《え》帽《ぼ》子《し》岳《だけ》（1478メートル）と秋田駒ヶ岳の連なりもよく見える。大展望の尾根歩きが終わると、三ツ石湿原に向けての約1キロの下り坂となる。木道歩きに変わり、松川温泉からのコースと合流すると、周囲を三ツ石湿原に囲まれた三ツ石避難小屋に着く。湿原は雪解け後のミズバショウにはじまり、季節の花々が楽しめる。避難小屋前の分岐を左に5分程度進むと水場があるのだが、秋になると渇水期になり枯れていることがある。

避難小屋から三ツ石山山頂までは急坂が続く。足元には岩が目立ちはじめ、季節によっては行き交う登山者もかなり多くなる。落石やすれ違いに注意したい。

大きな岩が目立ち始めると山頂は近い。ひときわ大きな岩の上に登るとそこが三ツ石山の山頂だ。展望はすこぶるよく、右に鬼ヶ城、左に屏風尾根を従えた岩手山の姿が美しい。さらには裏岩手縦走路に連なる山並みや、秋田駒ヶ岳の連なりの眺望が登頂の達成感を満たしてくれる。

大松倉山は大展望の尾根歩きが楽しめる

三ツ石山頂手前から振り返り岩手山を眺める

ミネカエデやミネザクラが山肌を美しく染める秋の三ツ石山

三ツ石山頂から見下ろす裏岩手縦走路

紅葉の時期は多くの登山客でにぎわう

山小屋情報

三ツ石避難小屋

三ツ石山のふもとにある避難小屋。小屋周辺には三ツ石湿原が広がっている。

- 収容人数　約20人
- トイレあり
- 無料開放
- 通年利用可

▶問い合わせ　八幡平市 商工観光課
TEL.0195-74-2111

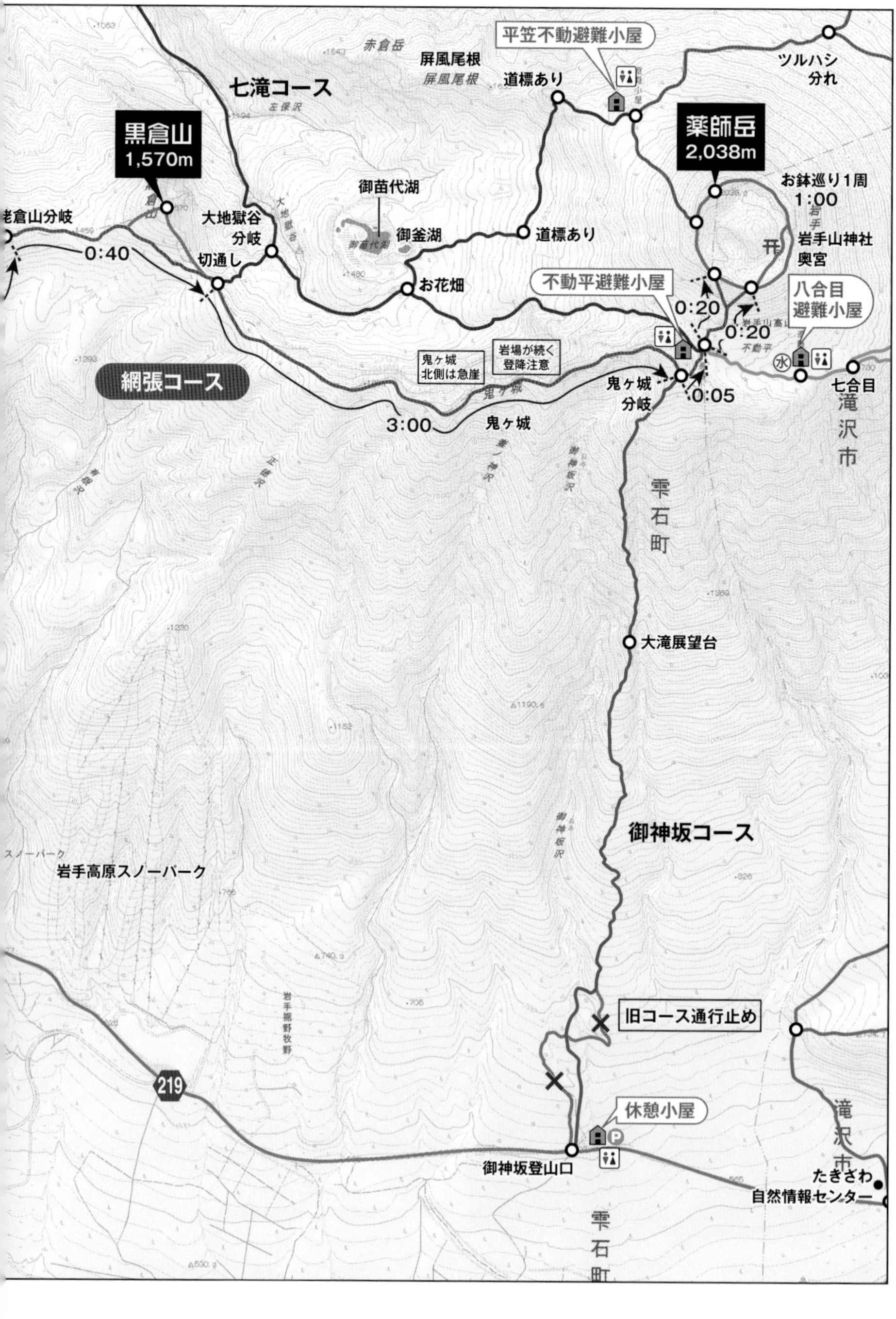
七滝コース
黒倉山
1,570m
老倉山分岐
0:40
大地獄谷
分岐
切通し
御苗代湖
御釜湖
お花畑
道標あり
道標あり
赤倉岳
屏風尾根
平笠不動避難小屋
薬師岳
2,038m
ツルハシ
分れ
お鉢巡り1周
1:00
岩手山神社
奥宮
不動平避難小屋
八合目
避難小屋
0:20
0:20
0:05
七合目
鬼ヶ城
北側は急崖
岩場が続く
登降注意
網張コース
鬼ヶ城
分岐
3:00
鬼ヶ城
滝沢市
雫石町
大滝展望台
御神坂コース
岩手高原スノーパーク
旧コース通行止め
219
休憩小屋
御神坂登山口
たきさわ
自然情報センター
雫石町
滝沢市

＊コースマップ

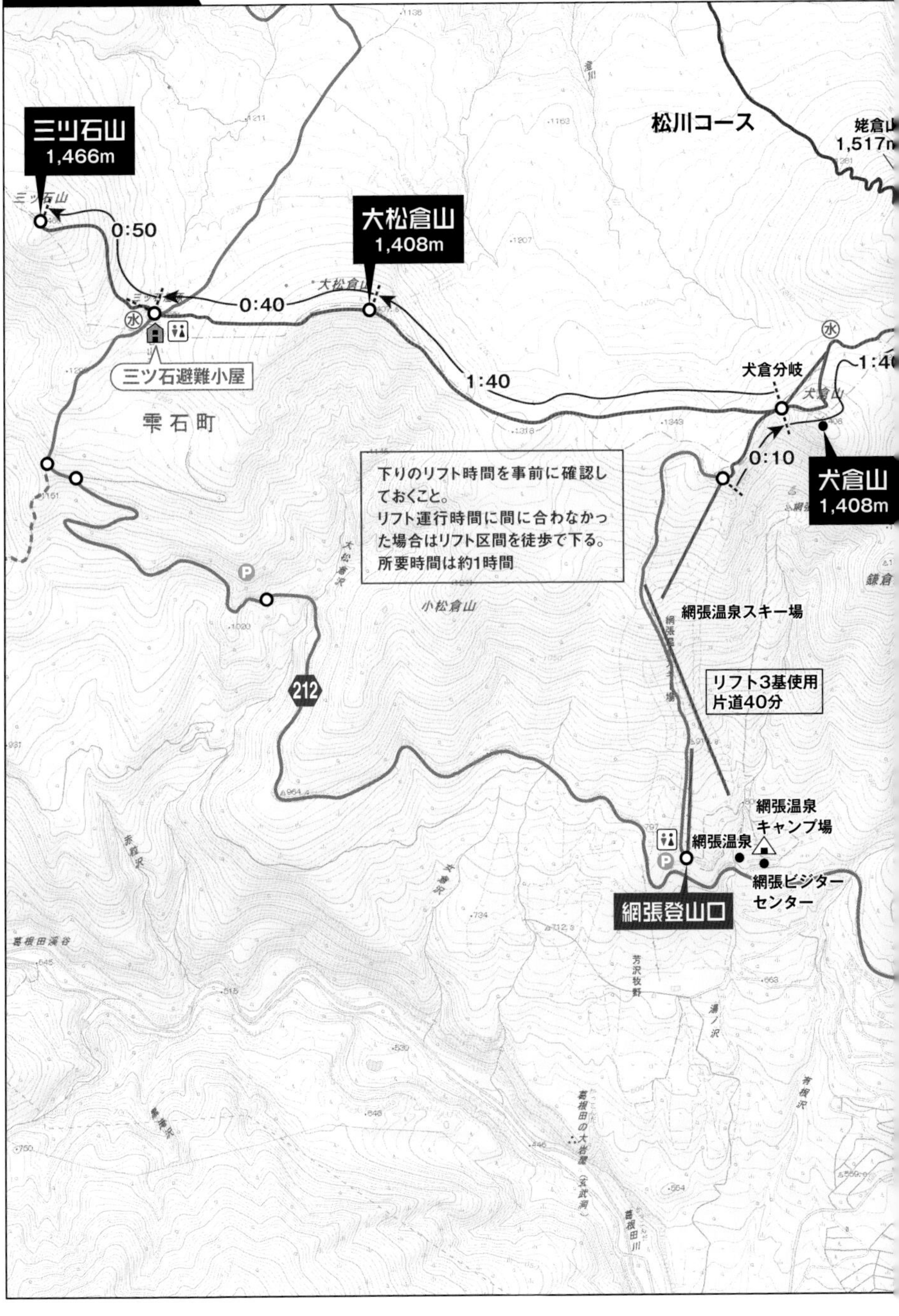
三ツ石山
1,466m
0:50
大松倉山
1,408m
0:40
三ツ石避難小屋
1:40
雫石町
松川コース
姥倉山
1,517m
犬倉分岐
犬倉山
1,408m
0:10
下りのリフト時間を事前に確認しておくこと。
リフト運行時間に間に合わなかった場合はリフト区間を徒歩で下る。
所要時間は約1時間
網張温泉スキー場
リフト3基使用
片道40分
212
小松倉山
網張温泉キャンプ場
網張温泉
網張ビジターセンター
網張登山口
芳沢牧野
葛根田渓谷
葛根田の大岩屋
（玄武洞）
葛根田川

七滝《ななたき》コース

見どころ満載のロングコース
大地獄谷では岩手山の鼓動を体感できる

七滝登山口
（県民の森）
▼1：20
七滝
▼2：40
大地獄谷
▼1：00
お花畑
▼0：10
御釜湖
▼2：00
平笠不動
避難小屋
▼
登り▼7時間10分
下り▼5時間00分

七滝登山口ー大地獄谷

七滝《ななたき》コースは距離が長く、標高差も大きいが、その分変化に富んださまざまな景色と出合える。登山口が「県民の森」の中にあり、アクセスしやすいのも魅力だ。

まずは登山口から道標に従い七滝を目指す。途中に分岐があるが、七滝を示す道標が頼りになる。トドマツ林まで来ると七滝は近い。七滝は落差30《メートル》の見事な滝で、登山道から少し歩くだけで展望広場まで行ける。滝壺《つぼ》近くまで下りることもできるので時間と体力に余裕があれば立ち寄ってみたい。

七滝から先は、右手に焼切沢を見ながらの緩い登りが続く。焼切沢を横切ると湿地に出る。この湿地は湯《ゆの》華《はな》採取跡で、見た目通りにぬかるむ場所だ。周囲は見

序盤は七滝へ向かう標識を頼りに進む

七滝の迫力はぜひ見ておきたい

大地獄谷周辺は、景色が目まぐるしく変化する

晴らしがよく、整備された庭園のような雰囲気がある。

湿地を抜けると、一転して樹木のない火山的景観の大《おお》地《じ》獄谷《ごくだに》に出る。小石で覆われた、いわゆる「ザレ」の道が続くので足を滑らせないよう注意しよう。途中、ロープを頼りに登る斜面がある。一人ずつ焦らずに通過するとともに、下で待つ際には落石にも気をつけてほしい。

大地獄谷では二酸化硫黄や硫化水素などの有毒な火山性ガスが噴出している。周辺にある看板の注意事項を守り、安全を心がけること。大地獄谷周辺では、鬼ヶ《おにが》城《じょう》や屏風《びょうぶ》尾根の荒々しい姿や、間近にそびえる黒倉山《くろくらやま》（1570メートル）を仰ぎ見ることができる。

大地獄谷からは鬼ヶ城の岩壁を右手に仰ぎながら沢沿いの道を進む。やがて「お花畑」と呼ばれる木道が敷《ふ》設《せつ》された植物群落に着く。

湯華（ゆのはな）採取跡はぬかるむ道だ

ヒナザクラの群生

かわいらしいチングルマ

屏風尾根を越え平笠不動へ

お花畑ー平笠不動

お花畑では、6月中旬頃からチングルマの花が最盛期を迎えるほか、ヒナザクラが多く見られるようになる。ここは岩手山登山道の見どころの一つとなっており、花々のほか、右手を見上げると鬼ヶ城の岩壁、正面には岩手山山頂、そして目指す屏風尾根がよく見える。

木道は屏風尾根を経由して平笠不動《ひらかさふどう》方面へ続く道と、不動平《ふどうたい》に続く道とに分かれる。分岐点では、「御釜湖《おかまこ》0.2㎞」と書かれた標識を頼りに左方向へ進む。その先に「御釜湖前」の標柱が立つ分岐がある。分岐を左折すると御苗代湖《おなわしろこ》があるので、立ち寄ってみてもいいだろう。なお、御苗代湖で行き止まりとなる。

御釜湖前の分岐を右折してからはしばらく樹林帯の登りとなる。一部草が生い

大地獄谷より先、沢沿いに道は続く

盛夏のハクサンチドリやコバイケイソウ

茂り、足元が見えにくい区間があるが、周囲には登山道を示すピンクの目印がいくつかあるので、よく確認しながら進む。途中にある「平笠不動1・5㎞」の標柱も見落とさないようにしたい。しばらく急な斜面を辛抱強く登ると視界が開け、鬼ヶ城の下にお花畑と御苗代湖が見える場所に出る。その先に標柱があり、その左手は進入できないようにロープが張られているので、標柱に従い右手に進む。ここからはハイマツ帯の中を登山道が続いており、とても展望が良い。「平笠不動0・4㎞」の標柱まで来ると、眼前に岩手山山頂の薬師《やくし》岳《だけ》がこれまでとは違った大きな姿を見せる。

　薬師岳の左裾に見える大きな岩塊付近を目指して進んでいくと、平笠不動避難小屋の分岐にたどり着く。避難小屋にはトイレがある。（これより先は焼走り・上坊コースを参照のこと）

ザレ場の登りは一人ずつ慎重に

大地獄谷からの展望

展望のよい屏風尾根は、ザレた道が続く

屏風尾根から御苗代湖、お花畑、大地獄谷を見下ろす

お花畑から屛風尾根までの登り

静かなたたずまいの御苗代湖

雲の流れを遮るかのような屏風尾根

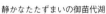

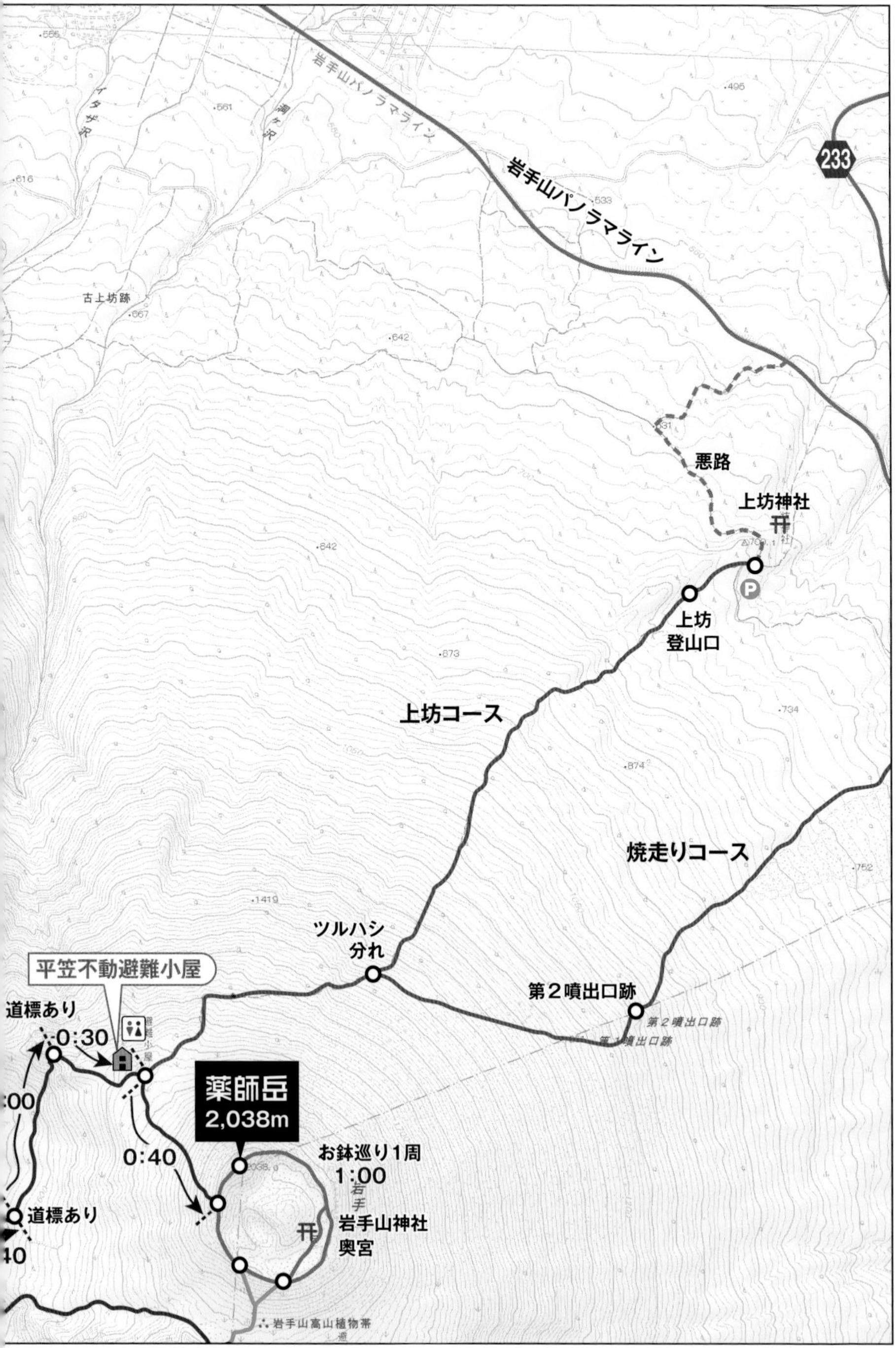

岩手山パノラマライン
233
古上坊跡
悪路
上坊神社
上坊
登山口
上坊コース
焼走りコース
ツルハシ
分れ
平笠不動避難小屋
道標あり
0:30
第２噴出口跡
薬師岳
2,038m
お鉢巡り１周
1:00
0:40
道標あり
岩手山神社
奥宮
岩手山高山植物帯

＊コースマップ

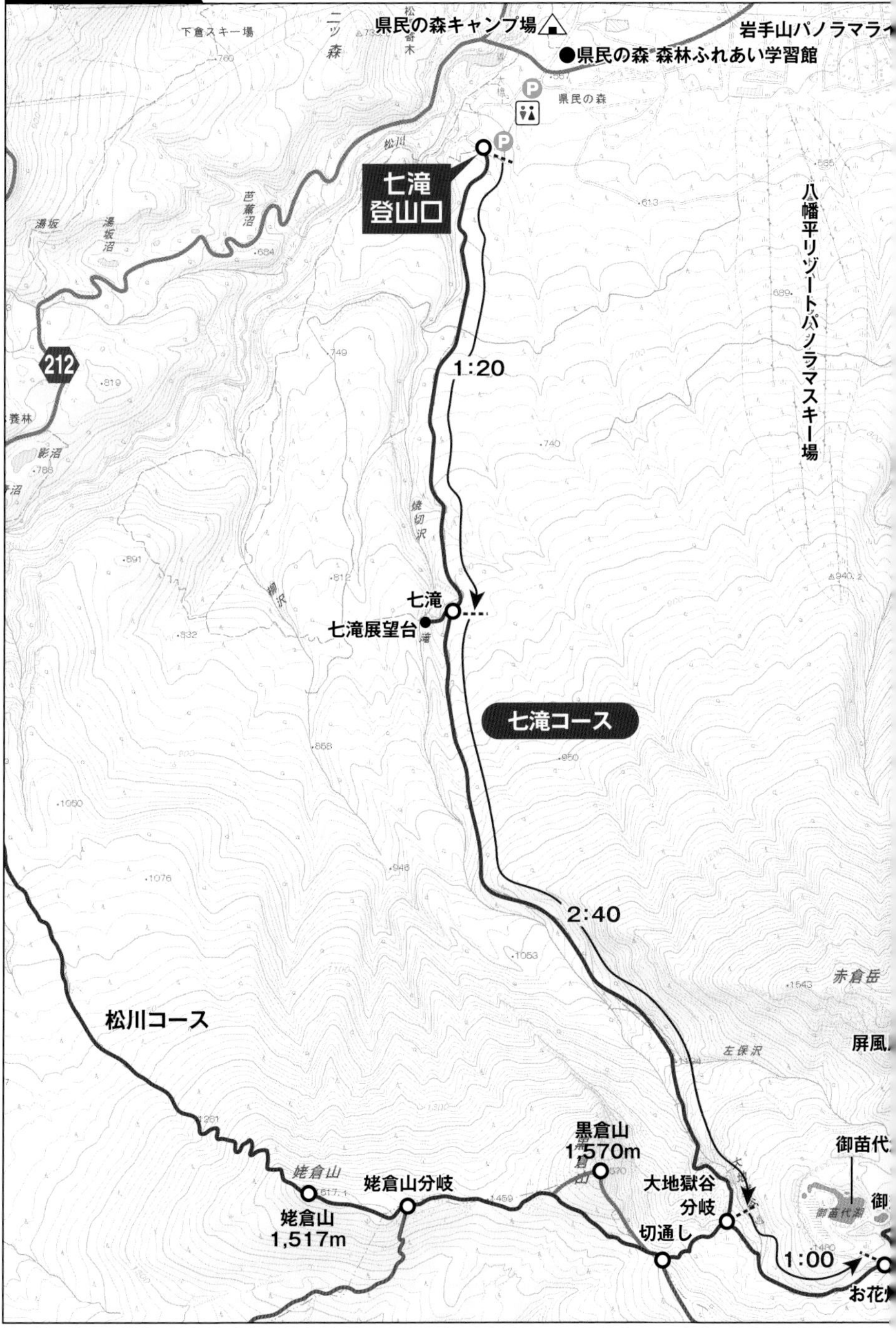
県民の森キャンプ場
岩手山パノラマライ
●県民の森 森林ふれあい学習館
下倉スキー場
二ツ森
県民の森
松川
七滝
登山口
芭蕉沼
湯坂
湯坂沼
212
八幡平リゾートパノラマスキー場
1:20
影沼
焼切沢
柳沢
七滝
七滝展望台
七滝コース
2:40
赤倉岳
松川コース
左保沢
屏風
黒倉山
1,570m
御苗代
姥倉山
姥倉山分岐
大地獄谷
分岐
姥倉山
1,517m
切通し
1:00
御苗代湖
お花

樹林帯を抜けると見える、裏岩手縦走路の山並み

登山口から静かなブナ林を歩く

松《ま》川《つかわ》コース

静かな山歩きから岩の急坂など変化に富んだコース

松川登山口―お花畑―不動平避難小屋▼

［登り▼6時間00分 下り▼6時間00分］

岩手山の北西、樹海ライン入り口付近の松川温泉には、四軒の温泉宿や地熱発電所がある。三ツ石山の登山口でもある広い駐車場の先に県営松川キャンプ場があり、その少し手前に松川コースの登山口がある。

岩手山山頂を目指す登山道としてかなり樹林帯が長いが、見事なブナが立ち並ぶ登山道は趣を感じることができるコースだ。

登山道はよく整備されており、広く歩きやすい道

時に薬師岳を凌駕（りょうが）するかのような黒倉山の存在感

が続いている。序盤は緩やかに登っていくが、湯ノ森（1050メートル）手前から急な登りになる。その後はまた緩やかな道になり、距離はあるものの体力の消耗は少ない。

標高1300メートル付近から斜度が増してくるが、それまで視界を遮っていた背の高い木々が減り、八幡平方面の展望が少しずつ得られるようになる。ジグザグに続く急な登り坂が緩やかになると姥倉山《うばくらやま》（1517メートル）の山頂が近い。裏岩手縦走路が連な

樹間が広い美しいブナ林に道は続いている

る山並みや秋田駒ヶ岳が展望でき、その景色に思わず足を止めて見入ってしまう。

登山道は姥倉山の山腹を巻くように続いており、姥倉山の山頂は登山道からほんの少し外れた場所にある。気付かずに見逃してしまうことがあるので注意しながら進むとよい。

目指す岩手山の山頂や屏風尾根、鬼ヶ城が視界に入り、樹木がどんどん少なくなっていく。黒倉山《くろくらやま》（１５７０メートル）の姿が見えてくると網張コースとの合流点が近い。黒倉山周辺、特にこの合流点付近は地熱があり、噴気が上がっている。設置されている注意喚起の看板に従って進むこと。

登山道は黒倉山の南面に続いており、灌木《かんぼく》が生い茂る。視界不良時は道を見失いやすいので注意したい。鬼ヶ城と大地獄谷との分岐点と

薬師岳への登りから不動平を俯瞰(ふかん)する

なっている「切通《きりどお》し」の標柱を見つけたら、分岐を左折して下り坂を進む。下って行くと視界が開けた場所に出る。七滝コースとの合流点があるので、黒倉山を背にするように右折してお花畑を目指して進む。

鬼ヶ城の迫力ある稜線を右に仰ぎながら、沢沿いの道を進む。沢をまたぐ場所を過ぎてほどなく、木道が敷設《ふせつ》されたお花畑に出る。お花畑の

姥倉山山頂付近は大展望の登山道が続く

黒倉山を背に、大地獄谷を過ぎる

高山植物が多く見られるお花畑

お花畑から不動平への登りは辛抱の連続だ

木道は御釜湖《おかまこ》に向かう道と、不動平《ふどうたい》に向かう道とに分かれるので、右側の不動平方面に進む。

この先は、ジグザグの急坂が待っている。背の高い木々に覆われ見通しが効かず、段差も大きい登山道が不動平まで約1時間30分続く。苦しい登り坂だが、休憩をとりながら焦らずに登りたい。

急坂が終わりに差し掛かると鬼ヶ城の岩壁との距離感が近くなる。眼前に迫る荒々しい岩塊の連なりは、さながら天然のとりでだ。思わず息をのむような風景の中、登り坂が続く。ようやく急坂が終わり、傾斜が緩かになるとコースを示す規制ロープ、休憩用のベンチや不動平避難小屋の屋根が見えてくる。避難小屋前で休憩したり、身支度を整え直したりして山頂に向かいたい。

(これより先は柳沢コースを参照)

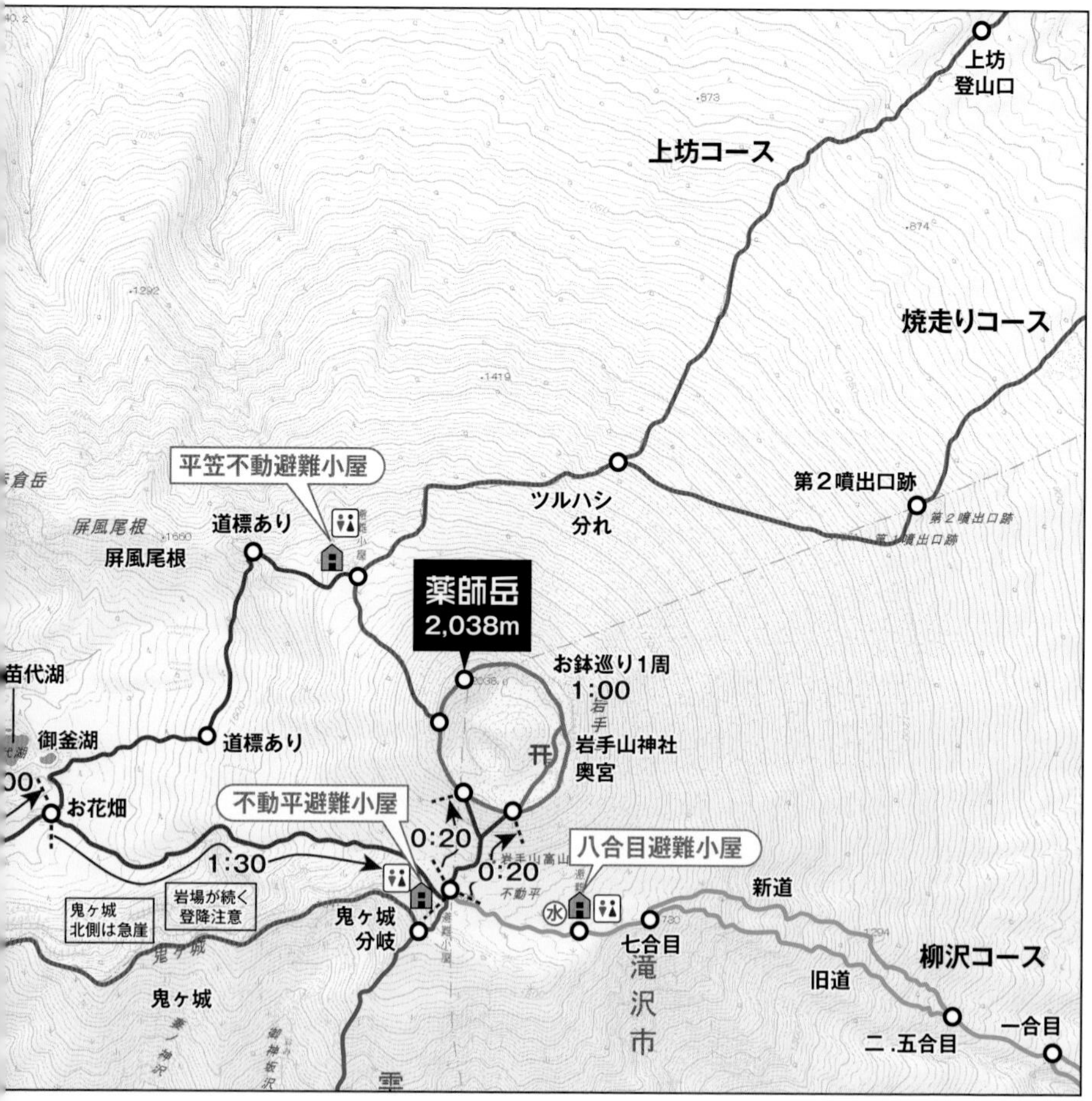

不動平避難小屋周辺には休憩用のベンチがある

不動平の手前、荒々しい岩塊の脇を進む

＊コースマップ

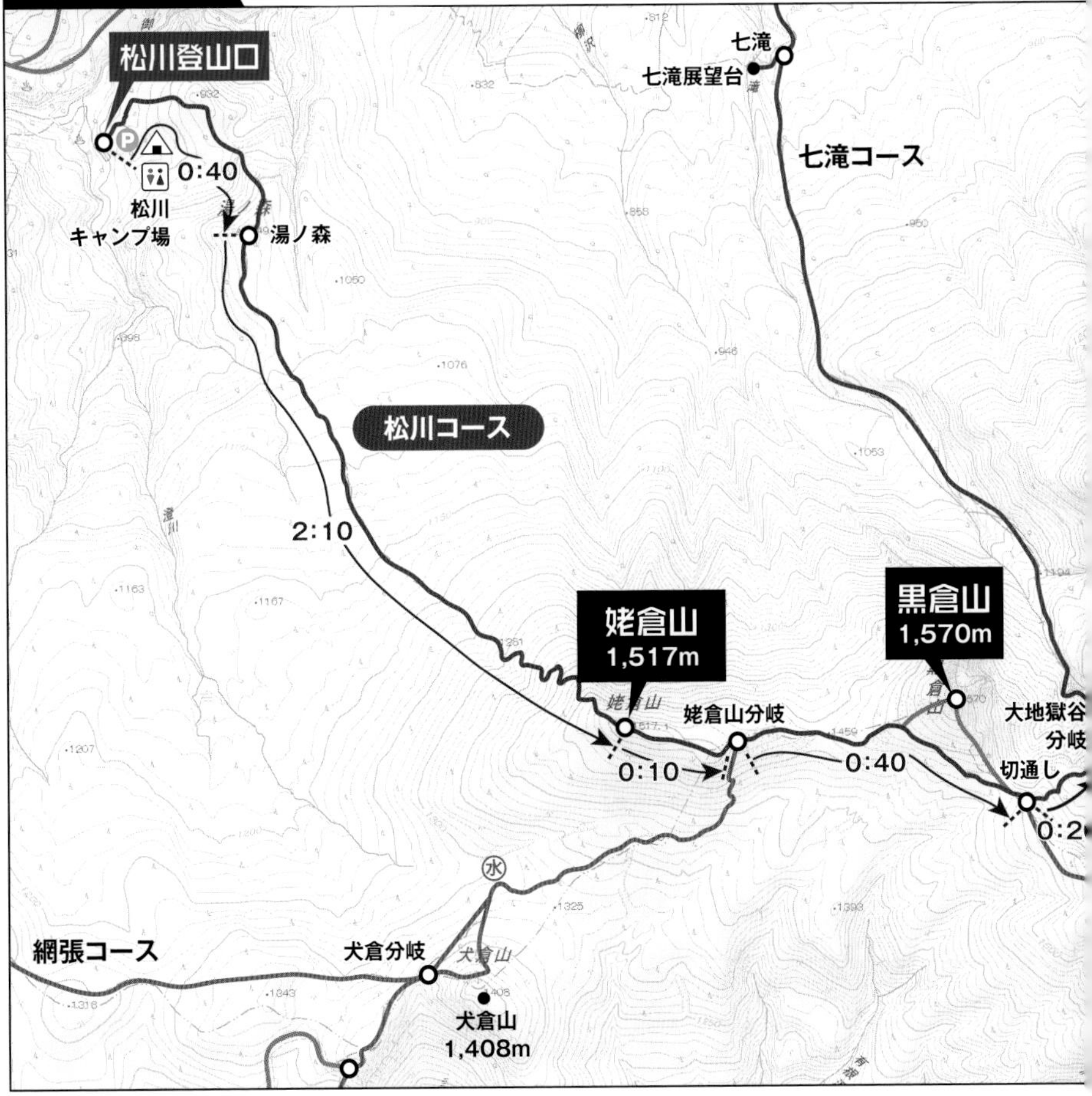

基本装備ガイド

登山は非日常の領域に足を踏み入れることだと十分に理解することが何より重要になる。その最たるものがシューズ、レインウェアなどの登山装備だ。時に命を左右することがある。しっかり装備を整えて安全な登山を楽しもう。

ソックス

ソックスは、シューズ同様に重要な装備のひとつ。足のトラブルはソックスが原因で起こることもあり、素材と性能をよく確かめて靴ずれを防いでほしい。吸汗速乾性に優れたものを選び、シューズとの相性によって素材、厚みを選ぶことが大事だ。

シューズ

岩場、木道、木の根、時にはぬかるみを歩き、濡れたコンディションでは滑りやすい場所が多い。滑ることは転倒につながり、転倒は骨折をはじめとする大事故の要因ともなる。足首の自由度がそれなりに高く、あまり硬すぎないシューズが歩きやすい。一般的にトレッキングシューズと呼ばれるものやトレイルランニングシューズがおすすめだ。スニーカーやサンダル等では絶対に登らないこと。

レインウェア

雨などによる濡れを防ぐほか、行動不能に陥った時に命を守る大事な装備である。積極的に使用することを想定して、透湿性能、ストレッチ性能の高いものを選ぼう。すぐに取り出せるように軽量、コンパクトに畳めるものが使いやすい。透湿性がないビニール合羽は蒸れやすく、結果的に濡れてしまううえ、すぐに破損してしまうものがあるのでお勧めしない。

汗冷え対策のアンダーウェア

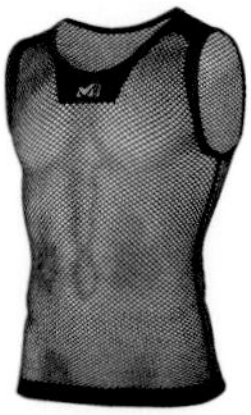

現代登山の必需品とも言える装備が、汗冷え対策のアンダーウェアだ。保水しない素材を使用しているため、発汗による濡れの不快感を軽減する効果があり、低体温症や体力消耗の原因となる汗冷えを防ぐことができる。とくに寒暖差の大きい春や秋には大いに活躍してくれる。

＊トレッキングポール

登りでの推進力を生み、下りでは上半身を安定させるなど、体への負担を軽減してくれる。両手を使うような場面では、畳んで収納すると安全性が高まる。なお、登山道の侵食を防ぐためにポールの先端にキャップを付けること。

＊バックパック

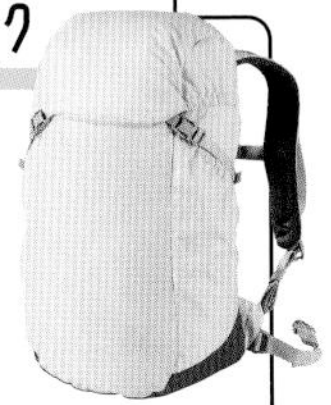

一概に容量で選ばず、自身の体型に合うものを第一に選びたい。背面パネルのサイズが合わないものを選ぶと疲労しやすくなるからだ。装備品が軽量、コンパクトなもので構成されていれば容量は小さくて済み、行動力が上がる。一方で防寒着などのかさばる荷物が増える季節には、容量が大きいものが役に立つ。容量の大きいバックパックは、背面パネルのサイズが異なることが多いので店頭でよく確かめよう。

＊帽　子

樹林帯を抜けると直射日光にさらされることが多い。とくに盛夏は、熱中症に陥る危険性が高まるため、帽子で直射日光を和らげる工夫をしたい。つばの広いものは日除け効果が高い半面、風にあおられる危険性に留意したい。

＊ヘッドランプ

万が一のことを考えるなら必ず持っていたい装備品だ。トラブルにより下山時刻が遅れた時、どんなに体力があっても真っ暗な道を歩くことはできない。ヘッドランプがあるだけで安全性が飛躍的に増す。最近では数十グラムの軽いタイプもある。スマートフォンの明かりはバッテリーの消耗が早く、片手をふさぐため、できるだけ使用を避けること。

＊サングラス

夏の強い日差しや残雪の照り返しから眼球を守るためにもサングラスを着用したい。強い紫外線は一時的に視力を低下させ、登山の安全性を損なう危険がある。

＊グローブ

ロープを使ったり、砂礫《されき》の道を歩く岩手山登山は、両手を使う機会が多い。予期せぬ傷を防ぐためにもグローブを備えよう。

協力：ミレー・マウンテン・グループ・ジャパン株式会社／株式会社キャラバン／株式会社デサント

厳しい自然が作り出した七滝の氷瀑

七滝スノーハイク

自然が生み出す巨大な氷柱
冬にしか見られない絶景を楽しむ

七滝登山口—七滝▼

登り▼1時間40分
下り▼1時間20分

七滝の氷瀑《ひょうばく》は厳寒期だけに見られる自然の造形美だ。天候の良い日を選び、スノーハイクの素晴らしさを体感してほしい。

県民の森・森林ふれあい学習館の駐車場で出発準備を整え、八幡平パノラマラインを渡る。岩手山の北面が一望できる場所に七滝コースの看板があり、ここをスタート地点にしてゆるい上り坂を進んでいく。途中、ショートカットできる場所があるが、初めて訪れる時はそのまま道なりに進んでいくとよい。

道の終点に七滝登山口がある。多くの場合、七滝まで明瞭な踏み跡がついているので、それをたどる。ただし、降雪直後などまったく踏み跡がない事もあるので、スマートフォンの地図アプリや地形図、コンパスを活用したい。

基本的には夏山の登山道をそのままたどり七滝を目指す。道中いたるところに七滝を示す標識があるので、それを頼りに進んで行く。危険箇所は特に無く、緩い傾斜の道を淡々と登っていく。やがて、七滝が右側にあることを示す標識の場所にたどりつく。通常この場所から直進しないように誘導があるので、迷う心配は少ないが注意すること。

標識に従い右折して進んでいくと、落差30メートルの七滝に出合える。訪れるタイミングにもよるが、冬季は氷瀑となっており、その姿は迫力がある。

氷瀑には近づきすぎず、一定の距離を保ってほしい

道中は「七滝」の標識を見逃さないように

岩手山の北面がよく見える場所が出発地点となる

　七滝のすぐ近くまで下りることができる雪のステップがつくられていることが多く、比較的安全に降りることができる。このステップを下りる時は、ステップそのものを壊さないようにスノーシューやカンジキなどは脱いで歩くようにしたい。また、表面が氷化していることもあるので、滑りやすいステップであることを意識し、注意して歩くこと。

　七滝の間近までくると、時に氷の隙間を流れ落ちる滝を見ることができる。滝に近づきすることは大変危険なので、適切な距離を保つようにしたい。

　帰路は、往路を忠実に戻る。

鞍掛山《くらかけやま》〈雪山〉

雪山登山の入門編
まずはここからチャレンジしてみよう

登山口—鞍掛山山頂▼
登り▼1時間30分
下り▼1時間00分

岩手山の南麓にある鞍掛山（８９７メートル）は初心者でも登りやすく、グリーンシーズンには多くのハイカーでにぎわう。じつは雪山の入門編としても最適の山でもある。

たいていは登山道に踏み跡があり、道迷いしにくい。しかし、降雪後など、訪れるタイミングによっては全くの新雪を歩くこともある。スマートフォンの地図アプリや地形図、コンパスなどを用意して道迷いを防ぐように心がけたい。

相の沢キャンプ場を管理する「たきざわ自然情報センター」の脇を北西に進む。1キロほど進むと「鞍掛山山頂２km」の標識があるので、今度は真東に進むように右手の斜面を登る。踏み跡が固くなっている場合は、チェーンスパイクを装着すると踏ん張りが効いて歩きやすい。この斜面を登り切ると東側の視界が開け、相の沢牧野を見下ろせる。ここで息を整えたりウェアの調整を行ったりするといい。ここから先はいったん下りになり、沢をまたいで再び登り返す。「鞍掛山山頂１km」の標識を見失わないようにすること。緩やかな斜

鞍掛山山頂は岩手山展望の特等席だ

ところどころに設置された標識を見逃さないように

雪原に作られたトレイル

下り斜面では、硬い雪や凍結に注意が必要だ

山頂手前には手製の標識がいくつかある

道中は東側の景色がよく見える

面を登っていくと、山頂部の尾根に乗る。尾根道は雪《せっ》庇《び》が発達するため、山頂に向かって右側に寄りすぎないように注意してほしい。

　緩やかにアップダウンする尾根道では、いくつかのお手製標識に励まされる。やがて、岩手山が眼前にぽっかりと現れる。そこが鞍掛山の山頂だ。雪に覆われた岩手山は夏山とは違った迫力があり、見る者を圧倒する。

　帰路は往路を忠実にたどるのが基本だ。北斜面に明瞭な踏み跡がある時は、地図アプリを活用しながら鞍掛山分岐を通るコースより相の沢キャンプ場に戻るのもおすすめ。ただし、かなり急な斜面を下りるので、技術と装備に不安がある場合は無理をせず、往路を戻ろう。

＊コースマップ

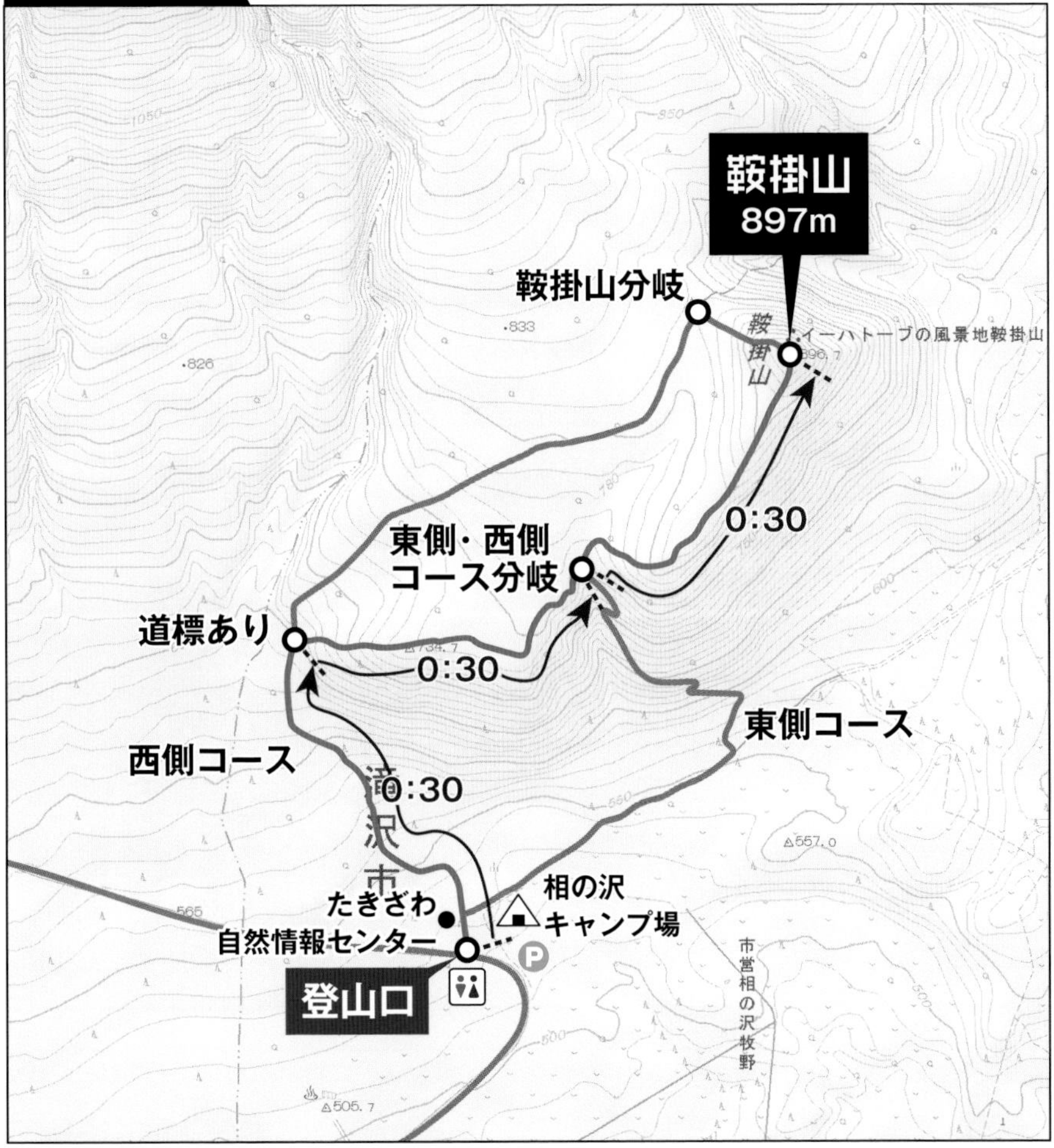

ポイント　冬の基本装備

気象変化に対応しやすいアウター

外気温に応じて複数のグローブを用意したい

耳まで覆えて収納も使い勝手もよいビーニー（ニット帽）

スノーシューとも相性がいいウインターブーツ

協力：ミレー・マウンテン・グループ・ジャパン株式会社／株式会社キャラバン

避難小屋に泊まってみよう

岩手山は標高差が大きく、日帰りが難しいロングコースもある。初心者に難しい面もあるが、避難小屋泊の1泊2日なら余裕をもった登山計画で臨むことができる。ただ、夏山でも朝晩は予想以上に寒いうえ、天候も考慮しなければならない。予算の範囲内でしっかり装備を整え、各コースそれぞれの絶景と出合ってほしい。

スリーピングバッグ（寝袋、シュラフ）

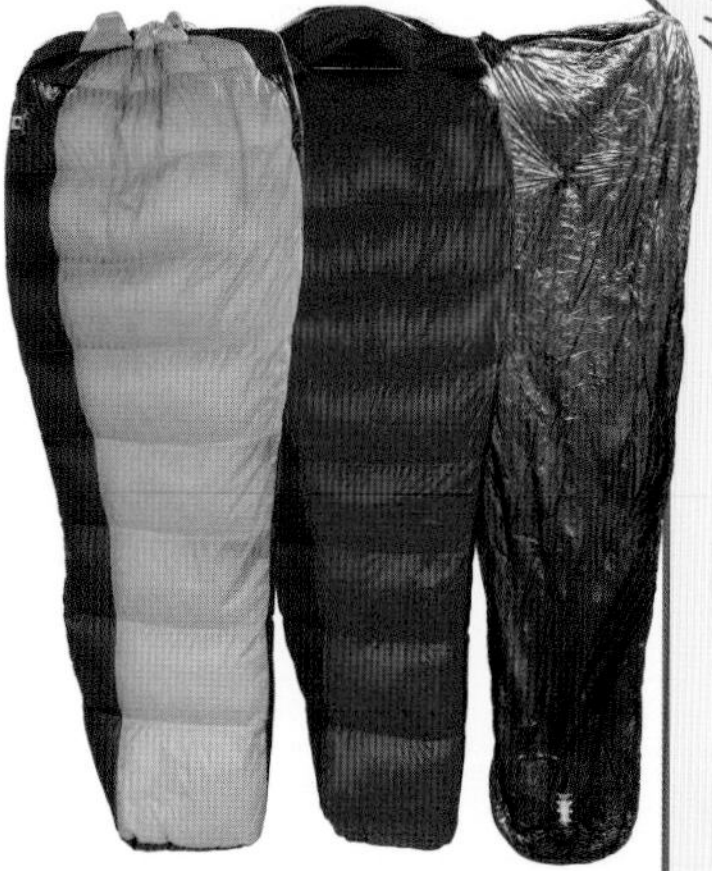

頭まですっぽりと包むマミー型がベスト。
中綿の素材と対応温度によって価格はさまざま。

《中綿の素材》

化繊とダウン（羽毛）それぞれに長所と短所がある。化繊の一番の特徴は、濡れても保温力が損なわれにくいこと。価格も手ごろ。ただ、ダウンに比べて重く、かさばる。化繊製品でもダウン並みの保温力を備え、かつ軽量コンパクトなものがある。ダウンの長所は、なんといっても保温力。しかもコンパクトに収納できる。半面、濡れると保温力が著しく損なわれる。登山中の防水対策は万全を期したい。価格は高め。

《対応温度帯》

対応する温度帯によって夏用、3シーズン用、冬用がある。9月下旬からは、場合によっては氷点下になることもある。季節ごとに平均気温や最低気温を確認しておくことが大切。快適と感じる温度は個人差があり、山小屋の構造や建っている場所によっても寒さの感じ方は違う。夏山でも寒暖差が激しいので3シーズン用が心強い。暑い時は布団のようにかけて使うといいだろう。

スリーピングマット

地面や床からの冷気は、どんなに高性能な寝袋でも防ぐことができない。下からの冷気を遮断するためにもスリーピングマットは必須といえる。断熱性能を表す数値をR値と呼び、この数値が高いものほど断熱性が高い。ただし、価格と重量・体積もR値に比例する。

《クローズドセル》

銀マットなどでおなじみ。就寝時は広げるだけ、収納時は折り畳むか丸めるだけで済む。コンパクト性には欠ける。

《セルフインフレータブル》

ウレタンの復元力を利用して自然に膨らませる。寝心地は比較的よく、それなりにコンパクトに収納できる。穴が開いてしまうと使用できなくなる。

《エアーマット》

最も軽量でコンパクトに収納できるのが最大のメリット。ただ、断熱性能ではインフレータブルマットに劣る。こちらも穴が開くと使用できなくなる。

ガスバーナー

《直結型と分離型》

ガス缶にバーナー本体をねじ込むタイプの直結型は、軽量コンパクトなものが多い。重心が高いため、大きなクッカーや重いクッカーは苦手。バーナー本体とガス缶をホースでつなぐ分離型は、重心が低いので大きなクッカーでも安定感がある。直結型に比べて重く、ややかさばる。

《OD缶とCB缶》

登山では低温でも使えるOD（アウトドア）缶が主流。クッカーに収納できて携行性も高い。ただ、価格が高く、取り扱いも登山用品店やアウトドア店などに限られる。
家庭用カセットコンロでおなじみのCB（カセットボンベ）缶は入手しやすく安価。通常のCB缶は気温10度を下回ると使用できない。気温5度まで対応した製品もある。

クッカーとカトラリー

《クッカー》

チタン製は軽量で丈夫だが高価なものが多い。熱伝導率の影響で炊飯には向かない。アルミ製はチタンよりは重量や厚みが増すものの、炊飯を含めて安心して使用できる。表面のコーティングを傷つけないように注意して使う。吸熱フィン付きのクッカーは屋内で絶対に使わないこと。

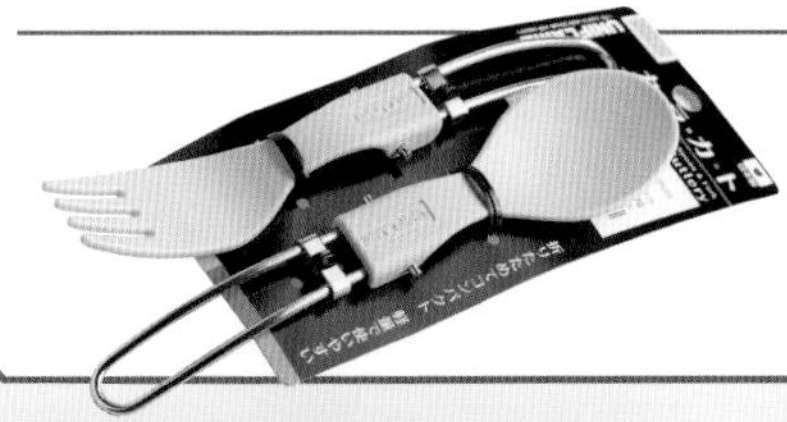

《カトラリー》

両端がフォークとスプーンになっている一体型、折りたたみタイプ、一式をコンパクトにセットしたものなど種類はさまざま。材質も金属製、プラスチック製、木製などがある。自分の好みで選んで構わないが、クッカーがアルミ製の場合は、シリコン製のカトラリーにすると傷がつきにくい。

協力 グリーンハウス盛岡店

岩手県盛岡市本宮4丁目40-20
TEL：019-681-8873

ウォーターボトル

1リットル以上の容量がベスト。透明で水筒型のポリカーボネート製は口が広いタイプが多く、水をくみやすく注ぎやすい。軽くて比較的丈夫な半面、コンパクトさには欠ける。ソフトボトルは丸めてコンパクトに収納できるのが最大のメリット。口が小さめのものが多く、水をくみにくい。ポリカーボネート製のボトルに比べて耐久性が低い。

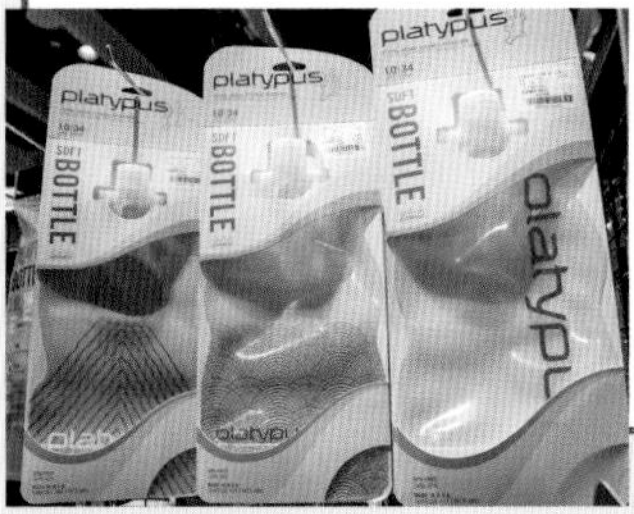

身も心も温まります

山ごはんにチャレンジ!

山で食べるおにぎりは格別。でも、ガスバーナーがあれば、お湯を沸かすだけでも食事のバリエーションがぐっと広がる。登山のスキルアップの一つとして「山ごはん」に挑戦してみよう。初心者でも作れるレシピを紹介する。

レシピ:太宰智志

初級 湯を沸かして注ぐだけ

必須 お湯を沸かすための「ガスバーナー」

コンパクトに収納できるタイプから、大きめのクッカーが乗せられるもの、短時間で湯を沸かせるものなどさまざま。自分の登山スタイルに応じて選ぼう。折りたたみ式のウインドスクリーン（風防）があると、風がある日でも心強い。

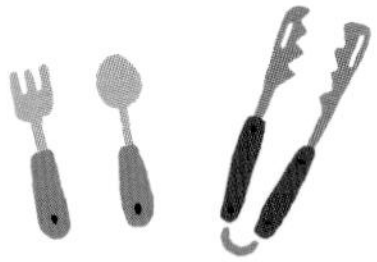

カップラーメン

山ごはんの定番中の定番。疲れた体には何よりのごちそうだ。クッカーなどでつくるリフィルタイプはかさばらず、食後のゴミが少なくて便利。

アルファ米

一度炊いた米を乾燥させたもので、お湯を注ぐだけで炊きたてのようなご飯が食べられる。おこわ、ピラフ、ドライカレーなどもある。

フリーズドライ食品

こちらもお湯を注ぐだけで熱々の料理が食べられる。みそ汁やスープはもちろん、パスタ・シチュー・リゾットなど多種多彩。保存食・非常食としても。

協力：グリーンハウス盛岡店

中級　簡単な調理をしてみよう

アルファ米とフリーズドライスープで熱々のリゾット

用意するもの
- アルファ米（チキンライス）
- フリーズドライのトマトスープ
- 水500ml

道具
- アルミ製クッカー
- シリコンスプーン

①水500mlを沸騰させ、フリーズドライスープ、アルファ米を入れる。その後、弱火にして、こげつかないようにかき混ぜながら10分間煮込む。

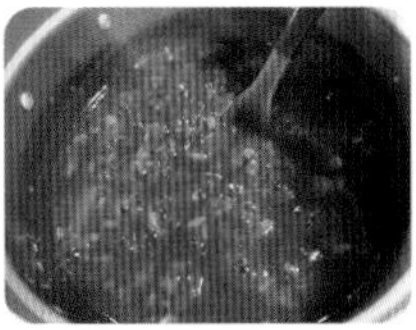

②アルファ米の硬さを確かめて、ちょうどよければ火から下ろし、ふたをして5分蒸らす。

③盛り付けてできあがり。

手軽でおいしいチーズフォンデュ

用意するもの
- スライスチーズ（5枚程度）
- 白ワイン（辛口）30ml～50ml
- 片栗粉少々
- お好みのパン、プチトマトなど

道具
- シェラカップや小さめのフライパン
- シリコンスプーン
- 先割れスプーンかフォーク

①白ワインを温める（白ワインが冷たいうちにチーズを入れないこと）。スライスチーズをちぎり、片栗粉をまぶす。

②白ワインが温まってきたら、片栗粉をまぶしたスライスチーズを3～5回にわけて加える。焦げ付かないようによく混ぜながら、チーズをトロトロに溶かす。

③火からおろしてパンや野菜などをチーズにたっぷりからめる。

アルミ製クッカーでごはんを炊く

用意するもの
- 米1合に対して、水200ml
  無洗米がおすすめ。水加減はお好みで。

道具
- アルミ製のクッカー
  ※チタン製は熱伝導の特性から炊飯に向かない

①アルミ製クッカーに、米1合と水200mlを入れ、30分以上浸しておく。

②火にかけて、沸騰するまで中火のままにしておく。沸騰したら、必ずふたをして弱火にする。そのまま7分間加熱し、7分経ったら火を止める。

③クッカーをガスバーナーから下ろし、15分ほど蒸らしたら、おいしいご飯のできあがり。

上級　スパイスが効いた絶品カレー

レトルトカレーを簡単アレンジ

用意するもの
- レトルトカレー
- オリーブオイル
- マッシュルーム
- 野菜チップス

好みのスパイス（分量は好みで）
- クミン
- カルダモン
- コリアンダー
- ガラムマサラ　各小さじ1/2～1/4

道具
- クッカー
- シリコンのヘラ

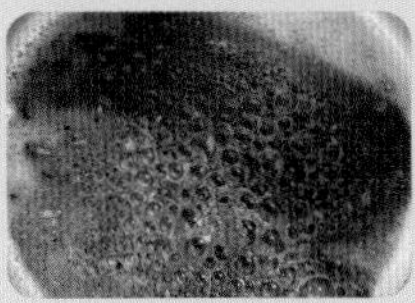

①オリーブオイルにスパイスを入れて、弱火にかける。香りがたってきたら、焦がさないように炒める。

②マッシュルームの水煮を保存液ごと加えた後、レトルトカレーを加える。

③カレーが温まってきたら、野菜チップスを加える。

④野菜チップスが柔らかくなったらできあがり。

岩手山の火山地形と噴火

土井　宣夫

岩手山（２０３８メートル）は大型の成層火山で、東北地方を代表する火山のひとつです。岩手山は、山頂に大きな凹地のある西岩手山と、東経１４１度線付近から東側の東岩手山からなります。岩手山は約30万年前からの噴火の歴史があり、噴火跡が火山地形として残っています。噴火跡を間近に観察して噴火の様子に想像を巡らせるのは、火山登山の楽しみのひとつです。ここでは岩手山に特徴的な東岩手山の馬蹄形《ばていけい》カルデラ、西岩手山の山頂カルデラ、そして東西13キロに連なる火山群がつくる火山地形についてみてみましょう。

東西に連なる火山群

岩手山西方の三ツ石山（１４６６メートル）のさらに西側に栗木ケ原（１１６２メートル）というほとんど知られていない火山があります。一方、三ツ石山の東側には大松倉山（１４０７メートル）、犬倉山（１４０８メートル）、姥倉山（１５１７メートル）、黒倉山（１５７０メートル）、岩手山（薬師岳）が連なります（図１）。栗木ケ原から薬師岳までの距離は東西約13キロ、25個以上の火山からなります。これを岩手火山群とよんでいます。岩手火山群は、約70万年前から形成されはじめました。

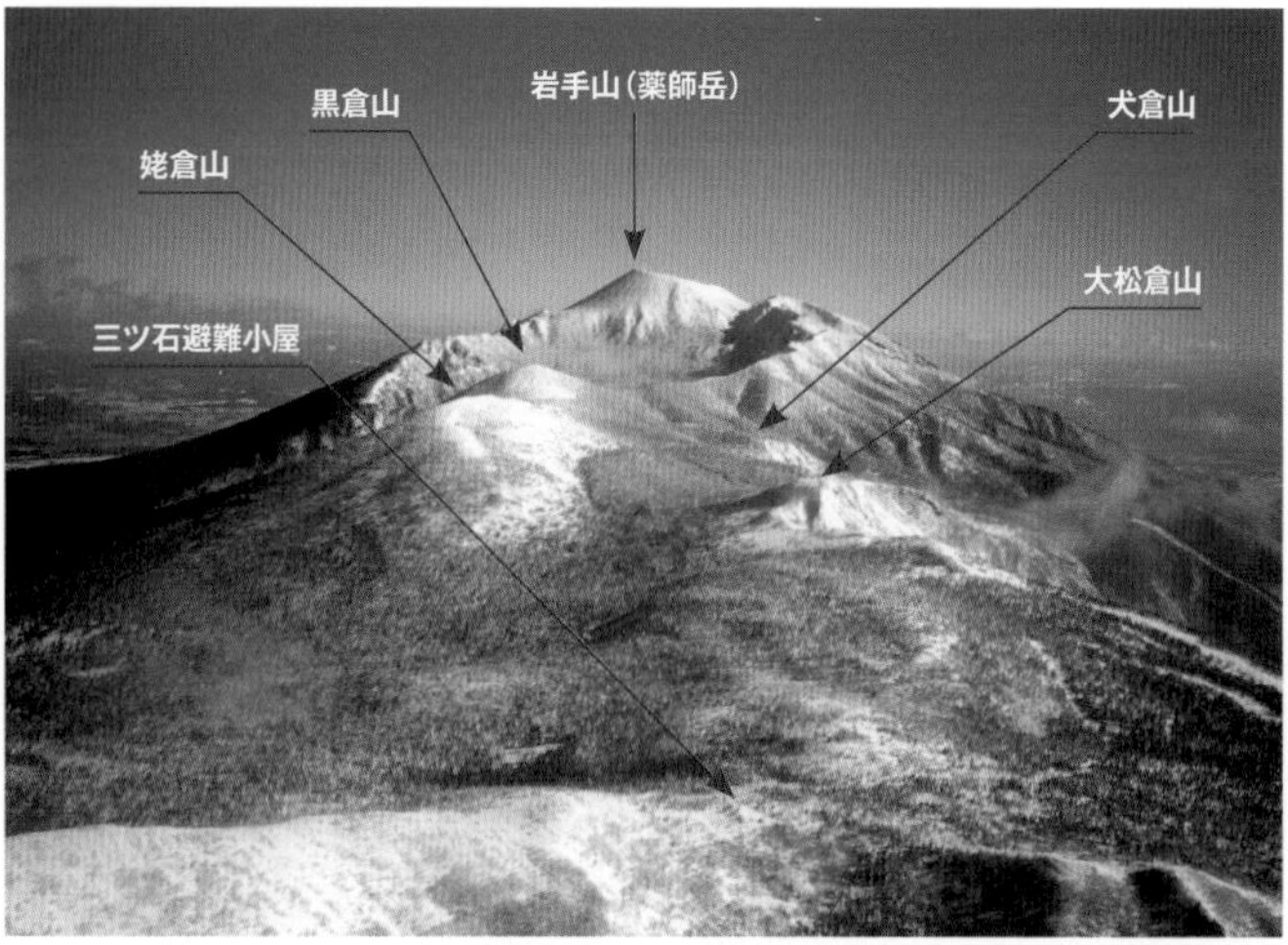

【図1】三ツ石山上空から東方の岩手山頂を望む（撮影年月日不明）

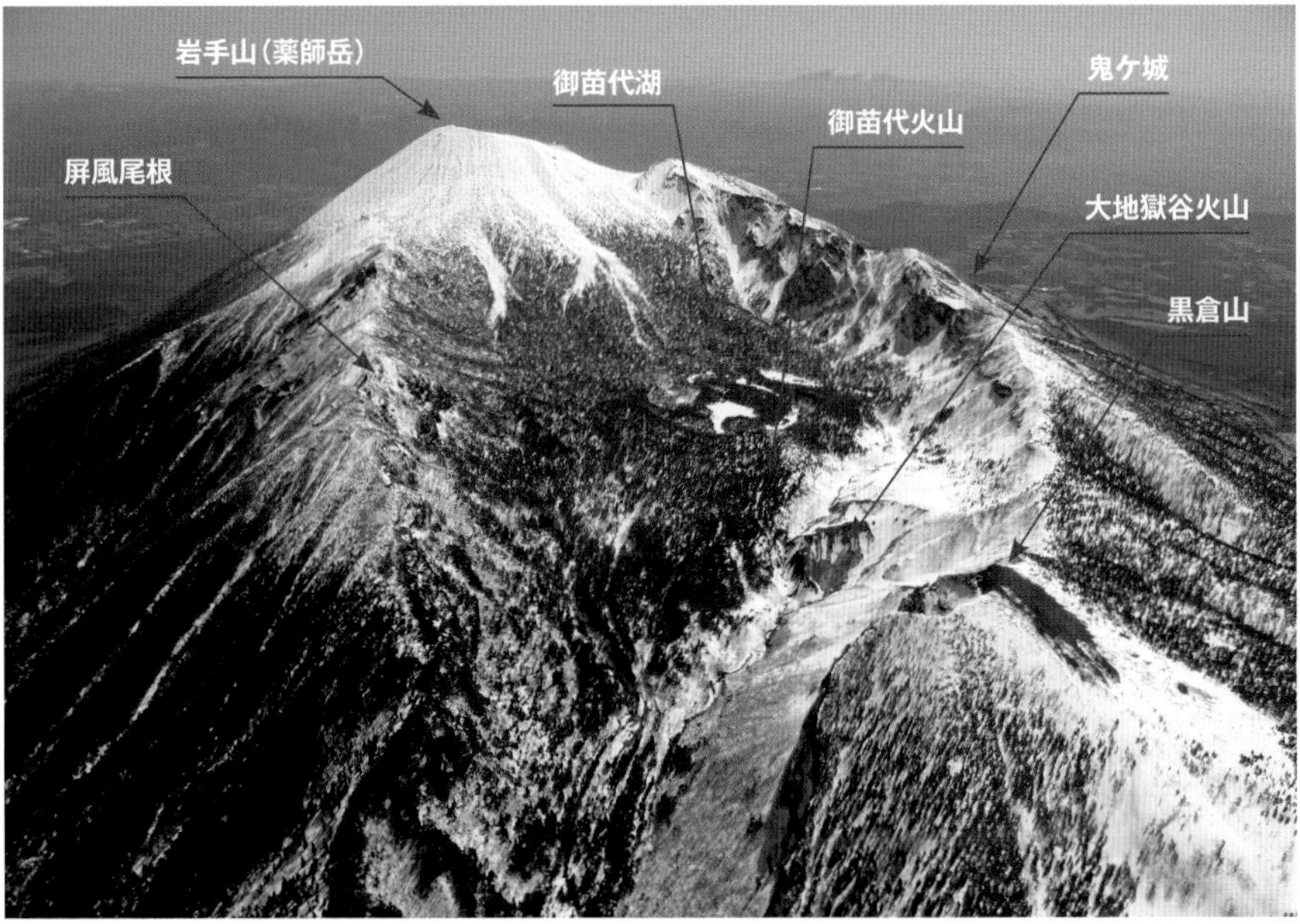

【図2】西岩手カルデラを西北西から望む。カルデラの北（左）側は屏風尾根、南（右）側は鬼ケ城、カルデラ底に御苗代火山が見える。黒倉山の雪は地熱でとけている。2016年4月撮影

火山群東部の岩手山は約30万年前から噴火が始まり、噴火中心が次第に東に移動しました。最新のマグマ噴火は、１７３２年、北東山腹で発生しました。これが焼走り溶岩の噴火です。この噴火は、もっとも東側で発生しています。

岩手山から三ツ石山に至る縦走路は、岩手火山群の長い噴火史をたどる山道です。

西岩手山の山頂カルデラ

西岩手の山頂に生じた凹地は、南側を鬼ケ城、北側を屏風尾根（赤倉岳）、西側を黒倉山に囲まれています。凹地内の降水は、外輪山を深く浸食した焼切沢によって、北西方向に排水しています（図２）。この凹地は、東西２キロ、南北１・３キロの大きさがあり、西岩手（鬼ケ城）カルデラとよばれています。

カルデラ形成前の西岩手山の山頂は、外輪山が西に傾いていることから、カルデラのやや東寄りにあったと考えられます。また、山頂の標高は、外輪山の形状と標高から、約２３００メートルと推定されます。この火山は約５万年前の火砕流をともなう爆発的な噴火で山頂が消失し、凹地が形成されました。その後も約３万年前まで噴火が続き、凹地は拡大してカルデラになりました。カルデラ底には、西から大地獄谷、御苗代《おなわしろ》、御釜の各小火山が生成して、一連の噴火は収束しました。

噴火の象徴である火口湖の御苗代湖、御釜湖は、湖水の藍色と樹林の濃緑色とが相まって、一帯に静謐《せいひつ》な雰囲気を生み出しています。

【図3】東岩手山の山頂馬蹄形カルデラを東南東から望む。円錐形の薬師岳を取り囲む外輪山(写真左と山頂右下)は、薬師岳の北東(写真右下)方向に開いていることがわかる。このカルデラ内を埋めて薬師岳火山が成長している。八合目と九合目の避難小屋はカルデラ壁直下にある。2023年4月撮影

東岩手山の馬蹄形カルデラ

東岩手山を特徴づける火山地形は、薬師岳火山のなめらかな円錐形の山体と、これを取りまく外輪山の急崖で囲まれた凹地です(図3)。外輪山は、薬師岳の南側と北西側にはっきり確認できますが、北東側には見られません。南側の外輪山は、北東方向に向かって次第に高度を下げて、ついに薬師岳火山におおわれてしまいます。同様に、北西側の外輪山も、東方向に高度を下げて薬師岳火山におおわれます。このことは、北東側の外輪山は存在しないこと、すなわち、凹地は北東方向に開いていることを意味します。このような馬の蹄《ひづめ》に似たU字形の凹地を馬蹄形カルデラとよんでいます。この地形が示すように、標高約2100メートルあった東岩手山の山頂部は、北東方向に急速な地すべり崩壊したと考えられます。この現象を山体崩壊とよび、発生した土砂の流れを岩屑《がんせつ》なだれ(岩なだれとも)とよんでいます。

東岩手山の馬蹄形カルデラは、縄文時代早期後半(約6700年前)に発生したと考えられています。図4は東岩手山の山体崩壊の推定図です。東岩手山の山頂部が崩壊して、流れ下った岩屑なだれが北東山麓を広くおおった様子を描いています。山体崩壊は、山麓の河川をせきとめ(古松川湖など)、凹凸の激しい、荒廃した大地を生成します。古墳のような形をした凸地は流れ山とよび、流れ山の間の凹地は池や湿地になりました。荒廃した大地は、縄文人の住まない大地となり

ました。この大地が利用され始めたのは、江戸時代の盛岡藩による大更《おおぶけ》御新田開発（1712年に第一次開発竣工）以降でした。

東西岩手山は、合計7回にわたり山体崩壊しています。この回数は、日本の成層火山ではもっとも多く、判明している限り、5回は山頂を含む山体が大きく崩壊しています。また、生じた馬蹄形カルデラのほとんどは、カルデラ内に生じたその後の噴火で埋没しています。

では、山体崩壊はどのように発生するのでしょうか。現在までに世界で確認されているのは、マグマが山体内部に貫入し、山体を破壊して脆弱になったところに直下型地震が発生して崩壊するケース、水蒸気噴火と直下型地震の揺れで崩壊するケース、直下型地震の揺れのみで崩壊するケースです。

岩手山の7回の山体崩壊は、崩壊直前の噴火の発生を示す火山灰が山麓で確認できません。このことから、直下型地震の激しい揺れで崩壊したと推察されています。

岩手山麓の盛岡市をはじめ滝沢市・八幡平市・雫石町の都市は、岩手山の岩屑なだれ堆積物の上に立地しています。つまり、岩手山の山体崩壊は、これらの都市に大きな被害を発生させます。このため、山体崩壊の前兆現象を検出して避難に結び付けることが望まれます。しかし、これを実現するためには、直下型地震の予知が必要になります。これはとても困難です。

東岩手山が山体崩壊した時、馬蹄形カルデラの底に白色変質帯（粘土化帯）が露出しました（図4）。この岩石は、火山の内部で岩石（鉱物）が温泉水と反応して粘土を多く含む岩石に変化したものです。この岩石は、粘土鉱物を多く含むことから滑りやすく、山体崩壊発生の素因になったと考えられます。そこで、熱水変質した岩石の分布等を知ることで、崩壊する可能性がある山体部分を予め抽出しておくことも考えられます。

いずれにしても、火山は不安定な構造物であり、とても崩れやすいことを知っておくことが必要でしょう。

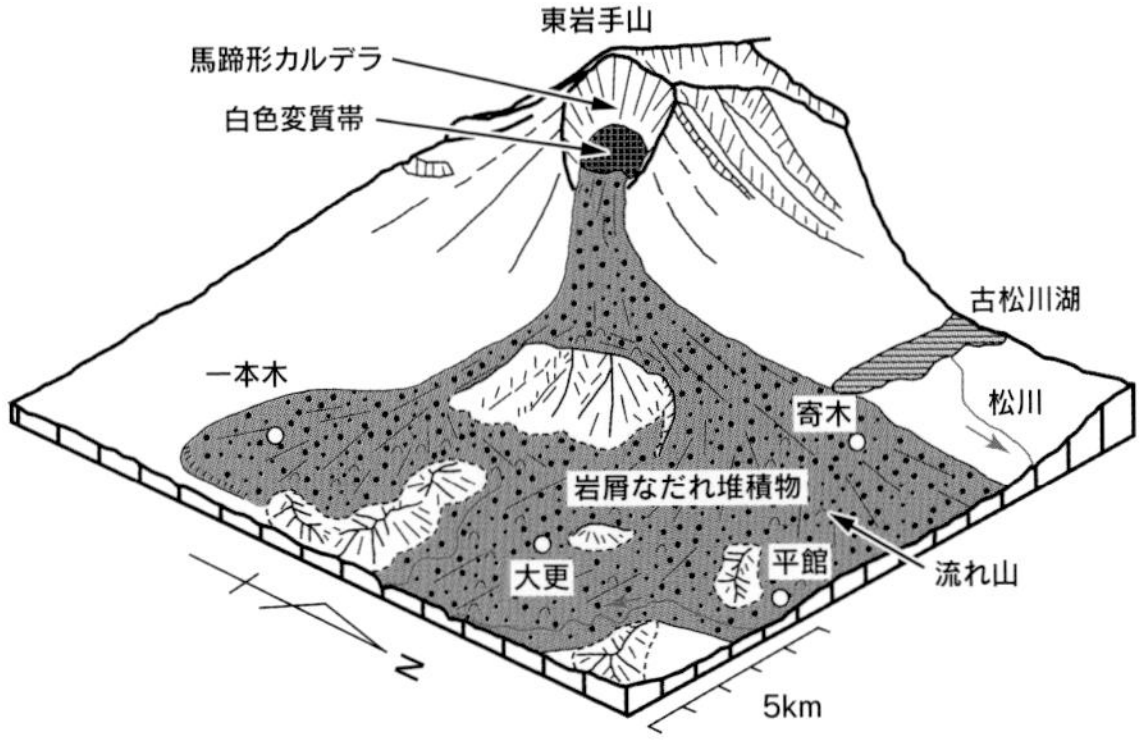

【図4】東岩手山の縄文時代の山体崩壊のようす。崩壊による岩屑なだれ堆積物（黄色）は北東山麓の小高い山を残して厚く堆積したほか、松川などをせき止めて湖（水色）を生成した。また堆積物は起伏に富み、流れ山を多数生成した。馬蹄形カルデラ底には山体の滑り面となった白色変質帯（ピンク色）が露出した。

土井宣夫（どい・のぶお）
私設岩手火山地質研究所所長。東北大学地質学古生物学教室卒。民間企業で地熱発電所建設のための探査業務に27年間従事。その後、岩手県総合防災室で火山防災を5年間担当。2009年から岩手大学教育学部自然地理学担当教授。定年退職後の5年間、同大学地域防災研究センター客員教授。1975年から岩手山ほか岩手県内の火山の研究に取り組んでいる。静岡県出身、岩手県八幡平市在住。

岩手山の歴史と信仰

もりおか歴史文化館学芸員　熊谷　博史

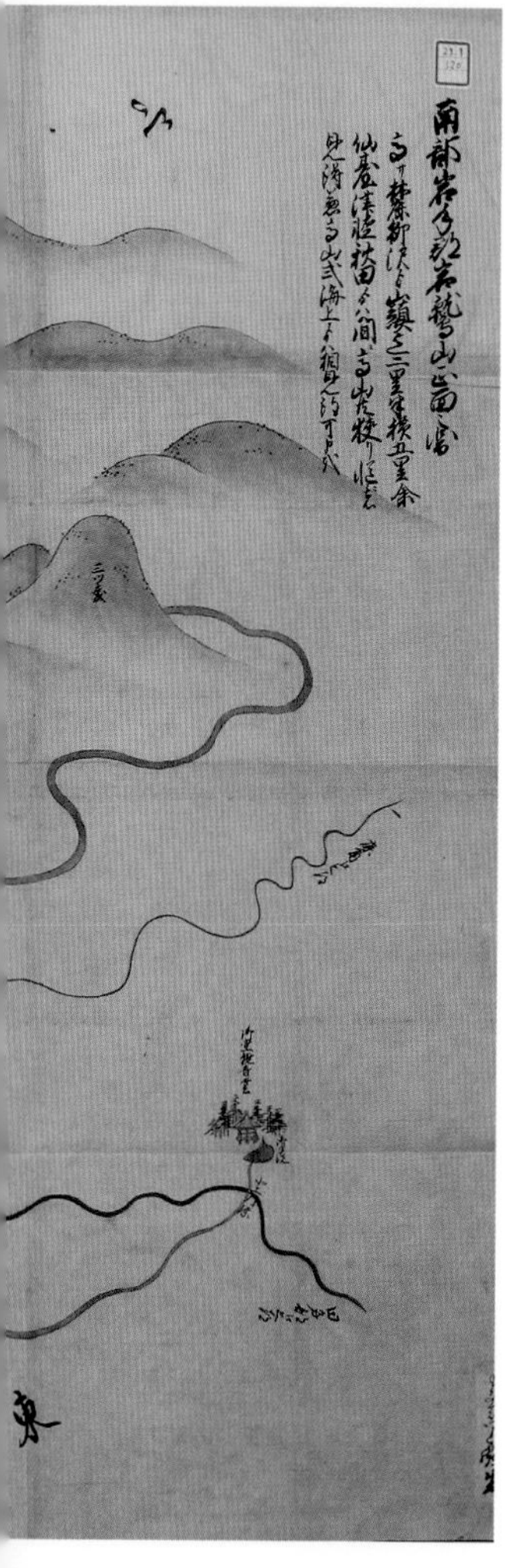

はじめに

古くは岩鷲《がんじゅ》山とも呼ばれ、現在でも多くの登山者の心を惹《ひ》きつける岩手山ですが、その歴史や信仰について考えようとしたとき、そこには大きな問題が立ちはだかります。それは岩手山の歴史を物語る資料の少なさです。岩手山に限らずこの地域においては、特に古代・中世の歴史資料が少なく、その実態をつかむことが大変難しい状況になっています。そのためか岩手山については、虚実定まらぬ伝説や口頭伝承が多く残されていますが、ここでは可能な限り資料に基づいて岩手山の歴史を整理してみたいと思います。

縁起に記された岩手山の来歴

「虚実定まらぬ」とは言いながら、現在流布している岩手山の伝承については、根拠なく語られているものばかりでなく、その多くは「縁起《えんぎ》」や「由緒書《ゆいしょがき》」がもとになっているようです。岩手山は古くから「岩鷲山大権現《ごんげん》」として信仰の対象となっていたため、さまざまな形で縁起や由緒書が残されています。書かれた時期や書き手の立場などによって、内容の不一致や異同も多くありますが、縁起や来歴としての要点は、以下の三点が重視されているようです。①岩手山が信仰の対象となった契機として、平安時代初期に征夷大将軍に任じられた坂上田村麻呂《さかのうえのたむらまろ》が設定されていること。②軍功により源頼朝から岩手郡を任された鎌倉時代の武将、工藤行光《くどうゆきみつ》が岩手山の「大宮司」となったこと。③江戸時代の盛岡藩の礎を築いた南部信直《なんぶのぶなお》の誕生に先立って、岩手山への祈願が行われた

「岩手山図」＝享保３（1718）年＝山頂に「薬師巓上」、その下に「不動平」が記され、麓には盛岡柳沢（柳沢口）と雫石柳沢（雫石口）の新山堂も描かれている（もりおか歴史文化館収蔵）

こと。

注意しておきたいのは、これらが記された縁起や由緒書のほとんどは、江戸時代以降にまとめられた編纂《へんさん》物である点です。つまり書かれた出来事が起きた古代や中世から見れば、数百年後の人がまとめたものになります。そのため歴史事実であるか否かは不明といわざるを得ないような内容ではありますが、少なくとも江戸時代における岩手山に対する認識であることは間違いなく、そのような視点での「歴史」として知っておくことは意義のあることといえます。

盛岡藩領としての岩手山

信憑《しんぴょう》性の高い資料に基づいて、岩手山の具体的な歴史を知ることができるようになるのは江戸時代以降になります。江戸時代、岩手山を擁する岩手郡は広大な盛岡藩領の一部となり、盛岡藩や藩主南部家に関する資料中に岩手山の記事を確認できるようになります。例えば盛岡藩の家老が日々書き継いだ政務日誌「盛岡藩家老席雑書《ざっしょ》」（以下「雑書」）は、江戸時代初期から後期まで、二百年近くにわたる盛岡藩の歴史を知ることができる資料ですが、岩手山に関する記述も多く抽出できます。「雑書」における岩手山に関する最初の記述は、日照りが続く寛永21（1644）年の5月3日、自光坊《じこうぼう》が門徒を引き連れて「岩鷲山麓柳沢」で雨乞《あまご》いをした記事です。自光坊とは、先述した南部信直の誕生に先立つ祈願に成功した由緒を持ち、修験惣録《しゅげんそうろく》（盛岡藩領の修験全体の統括役）などの要職を務める有力な修験者です。そのほかにも「雑書」には、南部家の人々の病気平癒や厄年の厄払いなど、様々な場面で岩手山への祈願が行われていたことが記録されています。

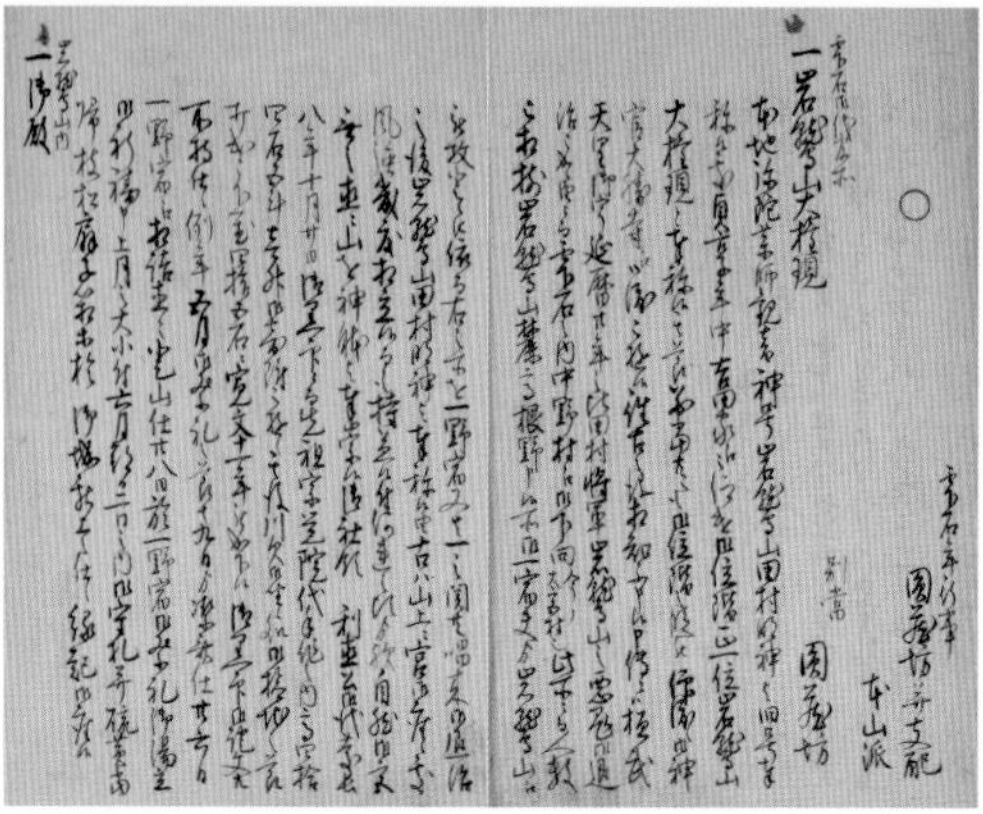

「御領分社堂」＝宝暦年間（1751～1764）＝盛岡藩領の寺院や神社を書き上げたもの。「岩鷲山大権現（別当円蔵坊）」の項には、坂上田村麻呂に関わる縁起も記されている（もりおか歴史文化館収蔵）

岩手山への参詣

盛岡藩主が祈願をする際、多くは代わりに修験者（盛岡藩士の場合もある）が岩手山に参詣（代参）し、馬や宝剣などを奉納しています。祈願内容により、代参者が33人も選ばれる大規模なものもあり、これらは「三十三騎参」と表現されていました。このような三十三騎参を含む藩主の代参は、岩手山祭礼でも実施されます。岩手山祭礼は「雑書」などから春（5月27日前後）と、江戸時代前期には秋（9月9日）にも行われていたことが確認できます。代参を終えた修験者は、土産として松・硫黄・当帰《とうき》（セリ科の多年草）のほか、扇子や守札《まもりふだ》・牛玉宝印《ごおうほういん》、占いの結果を記した書付《かきつけ》などを藩主へ献上する慣習となっていました。「雑書」寛永21年6月2日条には「岩鷲参詣之土産〈松葉・当帰・雄黄、此三種〉、養海・自光坊・雫石円蔵・寄木大蔵院献之」とあります。ここで土産を献上している、大勝寺《だいしょうじ》住寺の養海・自光坊・円蔵院・大蔵院は、全て岩手山に奉《ほう》祀《し》する修験者になりますが、この四者の背後に岩手山を巡る利権争いが存在したことも見逃せない事実です。

岩手山新山堂と別当職

岩手山には古くからの登山口が三つあり、現在その場所にはそれぞれ岩手山神社（岩手山新山《しんざん》神社）が鎮座しています。北の平笠口

（八幡平市平笠）、南の雫石口（雫石町長山）、そして盛岡城下からの表口として特に重視された東の柳沢口（滝沢市柳沢）です。各登山口には山頂の「御殿（奥宮）」まで行けない人のための、遥拝《ようはい》所として新山堂が建てられ、それぞれに管理者として別当《べっとう》が設定されました。平笠口は本山《ほんざん》派《は》修験で平舘村の「大蔵院」。雫石口は同じく本山派修験で雫石村の「円蔵院」。柳沢口については、羽黒《はぐろ》派《は》修験で盛岡城下新山小路の「大勝寺」と、本山派修験で修験惣録も務める盛岡城下神明町の「自光坊」などが別当職を巡って争っていました。背景には修験派閥（本山派と羽黒派）の対立もあり混迷しますが、最終的には大勝寺が基本的な権利を獲得したようです。別当職は盛岡藩内における地位や権威の上昇だけでなく、藩主の庇護《ひご》による経済的基盤の保証や、「山役銭《やまやくせん》」の徴収権など、多分に実利を伴った利権であったため、それぞれが正当性を主張しながら獲得を目指していたと考えられます。

江戸時代における岩手山の噴火

岩手山の歴史を語る上で避けられない噴火の問題についても、中世以前は歴史資料が不足しているため、歴史として語ることができるのは江戸時代以降になります。江戸時代の特に被害の大きかったものとして、貞享《じょうきょう》3（1686）年の噴火と享保16（1731）年〜17（1732）年にかけての二度が確認されます。貞享3年は、3月2日の轟音や北上川増水などの前兆の後、3日の夕方には岩手山の噴煙や噴火が確認されています。この年は9月ころまで火山活動が確認されており、10月には噴火鎮静のため岩鷲山権現に対し「正一位」の位階が与えられました。享保16年には12月23日から地震活動が確認され、24日の深夜から25日未明にかけて噴火が始まりました。25日にはマグマの流下とみられる「焼崩《やけくずれ》」も記録されており、これが現在の「焼走り溶岩流」になったと考えられています。これら盛岡城下にまで影響を与えた噴火活動が、盛岡藩の歴史の中で特に重大な事件であったことは間違いないでしょう。

おわりに

江戸時代中期以降は盛岡藩士による岩手山参詣の許可願が多数見られるようになり、後期には登山道や山頂付近に庶民の寄付によって作られた碑や石像などが建てられるようになるなど、江戸時代を通じて岩手山信仰が拡大していたことがうかがえます。

しかし近代になると、神仏分離政策の影響で「岩鷲山大権現」号が廃止され、岩手山と人々を繋《つな》いでいた修験も廃止となります。明治時代後期の日清戦争以降は、国家神道の影響もあり岩手山への信仰も復興の兆しを見せますが、その反動のためか戦後は、再び岩手山信仰は後退することになります。現在では観光やスポーツ的要素によって、登山そのものを楽しむことが多くなっていますが、その登山道に何気なく置かれている石碑などに、岩手山の歴史の痕跡を探してみるのも良いかもしれません。

噴火時の避難について

岩手山は活火山であり、火山噴火や直下型地震による災害が起こる可能性がある。岩手県では異常が認められた場合の情報伝達、立入規制範囲、避難ルート等について定めている。事前に岩手県の公式サイト(火山防災のページ)でよく確認しておきたい。突発的に噴火することもあり得ることから、気象台等から発表される最新の火山活動状況に留意して入山すること。
「いわて火山情報モバイルメール」への登録のほか、気象情報・防災関連のアプリも活用してほしい。

岩手県公式サイト(火山防災ページ)
https://www.pref.iwate.jp/kurashikankyou/anzenanshin/bosai/kazanbosai/index.html

八幡平市野駄より岩手山を望む

新＊いわて名峰ガイド
岩手山

＊2023年7月1日　初版発行

＊発行者　川村　公司
＊発行所　株式会社岩手日報社
〒020-8622　岩手県盛岡市内丸3-7
電話　019-601-4646
（コンテンツ事業部、平日9～17時）
ウェブサイト「岩手日報社の本」
https://books.iwate-np.co.jp/

＊コースガイド　太宰　智志

＊監　修　自然ガイドステーション（八幡平市）

＊協　力　岩手県／八幡平市／滝沢市／雫石町／
網張ビジターセンター／松尾八幡平ビジターセンター
土井宣夫
もりおか歴史文化館
岩手県県民の森 森林ふれあい学習館
ミレー・マウンテン・グループ・ジャパン株式会社
株式会社キャラバン
株式会社デサント
グリーンハウス盛岡店

＊企画・編集　塚　崇範（山口北州印刷株式会社）

＊編集協力　岩手日報社コンテンツ事業部

＊撮　影　小松　基広／太宰　智志／岩井　美裕希／清水　健太郎
高橋　康行
＊デザイン　堀間　匠（domino DESIGN WORKS）／山　和範（真生印刷株式会社）

＊印刷所　山口北州印刷株式会社

太宰　智志（だざい・さとし）

山岳アスリート、フリーの登山ガイド、登山ライター。1998年ごろから本格的な登山に取り組み、東北北部のほか鳥海山、月山、朝日連峰、尾瀬エリアを中心に活動している。宮城県大崎市のJR古川駅前にある喫茶店「カフェ・モンテ」の店主でもあり、店には山の情報を求めて多くの登山ファンが訪れる。主な著書に「南東北名山ガイド　月山」（2023年）。1973年生まれ。

© 岩手日報社 2023　本書掲載写真・記事の無断複製および転載を禁じます。落丁・乱丁は送料小社負担でお取り替えします。

ISBN978-4-87201-546-1
C0026 ¥1400E

[ミニ特集]

* 避難小屋に泊まってみよう
* 山ごはんにチャレンジ!
* 岩手山の火山地形と噴火——土井宣夫
* 岩手山の歴史と信仰——熊谷博史

9784872015461

1920026014005

ISBN978-4-87201-546-1
C0026 ¥1400E

定価1,540円（本体1,400円+税）

Mt. Iwate*

ここからはがして下さい
32
1/1
ISBN：9784872015461
受注NO：118371
受注日付：241213
コメント：26
書店CD：187280　28
客注